Ética na comunicação

Dados Internacionais de Catalogação na Publicação (CIP)
(Câmara Brasileira do Livro, SP, Brasil)

Barros Filho, Clóvis de
Ética na comunicação/ Clóvis de Barros Filho; atualização Sérgio Praça. 7. ed. São Paulo: Summus, 2016.

Bibliografia.
ISBN 978-85-323-0506-0

1. Comunicação - Aspectos sociológicos
2. Comunicação de massa 3. Ética 4. Ética jornalística
5. Jornalismo I. Praça, Sérgio. II. Título.

07-9567 CDD-302.2

Índices para catálogo sistemático:

1. Comunicação: Aspectos éticos: Sociológicos 302.2
2. Ética e comunicação social: Sociologia 302.2

CLÓVIS DE BARROS FILHO

Ética na comunicação

Atualização: Sérgio Praça

ÉTICA NA COMUNICAÇÃO

Assistentes editoriais: **Bibiana Leme e Martha Lopes**
Editora executiva: **Soraia Bini Cury**
Capa: **Gabrielly Silva**
Projeto gráfico e diagramação: **Crayon Editorial**

Summus Editorial
Departamento editorial:
Rua Itapicuru, 613 – 7º andar
05006-000 – São Paulo – SP
Fone: (11) 3872-3322
Fax: (11) 3872-7476
http://www.summus.com.br
e-mail: summus@summus.com.br

Atendimento ao consumidor:
Summus Editorial
Fone: (11) 3865-9890

Vendas por atacado:
Fone: (11) 3873-8638
Fax: (11) 3872-7476
e-mail: vendas@summus.com.br
Impresso no Brasil

Sumário

Apresentação

As questões referentes à ética na comunicação assumem importância maior à medida que a mídia ocupa papel mais central na contemporaneidade.

A realidade que conhecemos resulta da edição do mundo. Essa parte construída, reelaborada pelos "produtores" dos meios (empresários, profissionais de mídia, donos do aparato tecnológico, entre outros), pode ser, muitas vezes, tão pequena e tão plena de interpretações implícitas ou explícitas que se distancia extensamente do fato "narrado", procurando atender aos objetivos tanto dos que detêm os meios de comunicação como, no afã de agradar ao público, atendê-lo no que lhe é mais caro: o espetáculo e a satisfação dos estereótipos morais ultrapassados. Esse processo metonímico – a parte pelo todo – acaba tendo a força da "verdade", da "objetividade", da totalidade. E desse modo esse "mundo todo" será reproduzido e se incorporará à história vivida. Essa fabricação da realidade em que se vive implica uma aparentemente eterna reprodução do que está, com as conseqüências que o cotidiano registra. Ou seja: a mídia faz parte integrante da realidade, elaborando uma visão mediada dessa realidade. Tendo o poder de, concomitantemente, divulgá-la, pode-se afirmar que a mídia contribui para criar a realidade que ela se propõe "descrever".

É nesse território que a discussão da ética se torna indispensável. Desafiante, mesmo. E é dessa temática complexa que trata este livro, com competência. Sem ser um manual didático – pois apresenta os conceitos e discute-os academicamente, criticamente –, é dotado da clareza textual necessária, a qual, se por um lado revela a qualidade acadêmica do autor, constituindo-se importante contribuição a todos os que refletem sobre o campo da comunicação, por outro permite que inclusive os alunos dos cursos superiores, principiantes no ofício da reflexão sobre o campo, se beneficiem dele.

Este livro foi publicado pela primeira vez em 1995, pela Editora Moderna, e já se encontra na sexta edição, agora pela Summus Editorial. Pode-se afirmar que ele foi praticamente o discurso inaugural desse tipo de enfoque, pois até então (e hoje ainda, não poucas vezes) se confundia o estudo da ética da mídia com o conhecimento da legislação que rege o fazer profissional dos comunicadores: jornalistas, publicitários, relações-públicas etc.

Para a discussão da ética nos meios de comunicação, o livro é estruturado em seis capítulos, que mantêm entre si uma relação de percurso, de movimento contínuo, de intercâmbio, dando conta das temáticas mais importantes das relações entre ética e comunicação.

Se a "objetividade" informativa como representação jornalisticamente interessada do jornal ideal vem sendo preconizada por todos os envolvidos no seu fazer, ao mesmo tempo são cada vez mais numerosos os que a consideram impossível e até mesmo "prejudicial". A posição desses doutrinadores é classificada, no capítulo 1, "A objetividade como discurso", em impossível ideal-típica e impossível indesejável.

No capítulo 2, "A objetividade como simulacro", destaca-se a marca cada vez mais forte que os jornais fazem questão de imprimir para indicar a separação entre os textos que marcam a opinião do jornal (editoriais, por exemplo) e os demais textos, chamados informativos, como se estes últimos fossem "objetivos", sem contaminação de autoria quer profissional, quer empresarial. Busca-se, desse modo, passar a concepção de uma pluralidade de pontos de vista em circulação num só veículo.

Têm-se, portanto, dois aspectos distintos da "objetividade aparente": o primeiro refere-se à *forma* do produto mediático "informativo puro" em relação aos demais ("opinativo", "interpretativo", "publicitário"); o segundo diz respeito ao *conteúdo* temático do conjunto da produção mediática informativa.

O espaço dos produtores e o espaço dos produtos informativos não se confundem. Esse é o tema do capítulo 3, "Subjetividade e produção informativa", que mostra a produção como apenas uma das estratégias de atuação no campo jornalístico. A manifestação da subjetividade do jornalista nesse fazer profissional entre outros profissionais e em que medida essa subjetividade se transforma em produto também são estudados nesse capítulo.

Este capítulo foi inteiramente reformulado por Clóvis de Barros Filho. Utilizando-se do conceito de *habitus* de Bourdieu, aponta o campo jornalístico como um espaço social de definição do fazer ético.

Os conceitos de "objetividade", "profundidade", "diversidade temática", "sobriedade" (em relação ao "sensacionalismo"), do lado do produto, e de "utilidade", "seletividade", "busca de certeza", do lado do receptor ganharam as páginas dos tratados de ética dos manuais de "bom jornalismo". Esses são os eixos do capítulo 4, "Subjetividade e recepção".

O discurso da ética de valorização do receptor caminhou paralelamente aos estudos sobre a recepção e mormente sobre seu processo seletivo. O processo seletivo de recepção mediática é apresentado na doutrina como um filtro quadrifásico, ou seja, composto por quatro camadas sobrepostas e progressivamente seletivas: a exposição e a atenção seletivas; a percepção e a retenção seletivas. Tais camadas, com horizontes alargados pelas questões de percepção contextualizada pelas variáveis sociológicas, entre outras, são objeto de ampla discussão.

Os temas discutidos no cotidiano são determinados pelas mensagens da mídia. É o que prevê a hipótese do *agenda setting*, extensamente discutida no capítulo 5, "Impor sobre o que falar: a hipótese do *agenda setting*". Trata-se de uma das formas possíveis de incidência dos meios de comunicação de massa sobre a sociedade. É um dos efeitos sociais da mídia. Segundo essa hipótese, a mídia, pela seleção, disposição e incidência de seus produtos, determina os temas sobre os quais o público falará e que discutirá.

Foram McCombs e Shaw que, em 1972, deram forma, avançando, ao muito que já se havia escrito sobre o assunto. Dizem esses autores que sua base principal de apoio foi o livro de Lippmann, *Public opinion*, de 1922.

Esse capítulo apresenta as discussões sobre *agenda setting* em dois períodos: o primeiro, de 1972 a 1995, quando saiu a primeira edição de *Ética na comunicação*, e o segundo, atualizado por Sérgio Praça, de 1996 a 2006. Observa-se que os estudos de segunda e terceira gerações sobre a hipótese de McCombs e Shaw começam a apresentar convergências com os estudos de recepção, os quais têm como raiz os estudos culturais ingleses.

A "espiral do silêncio" – abordada no capítulo 6, "Impor o que falar sobre: "espiral do silêncio", *knowledge gap* e do *cultivation theory* –, bem como o *agenda setting*, é uma hipótese científica discutida em congressos, explicada em manuais e ensinada a todos os que estudam opinião pública. Consegue, no próprio título, sugerir muito de sua idéia central. Sua autora, a professora alemã Elisabeth Noelle-Neumann, percorre os quatro cantos do mundo cientificamente ativo divulgando seu modelo de opinião pública. Para explicá-lo, o livro responde a três perguntas: por que "do silêncio"?; por que "espiral"?; em que medida a objetividade aparente da informação mediática influi no efeito em questão?

As respostas a essas questões constituem verdadeiros ensaios, que ampliam e atualizam as discussões.

Professora doutora Maria Aparecida Baccega
Livre-docente em Comunicação pela Universidade de São Paulo
Coordenadora-adjunta do Programa de Mestrado em Comunicação e práticas de consumo da Escola Superior de Propaganda e Marketing de São Paulo

PARTE I

Objetividade aparente e objetividade como estratégia

A "objetividade informativa" é um tema controverso. Sociólogos, historiadores e geógrafos da comunicação, deontólogos, especialistas em ética jornalística, juristas e teóricos da comunicação abordam o tema segundo métodos diferentes, chegando a conclusões forçosamente distintas e por vezes antagônicas. Isso ocorre porque o tema da "objetividade" é tributário dos inconvenientes da multiplicidade metodológica que atinge todo o estudo em comunicação. Dessa forma, questões como "um texto informativo é objetivo?", "pode ser objetivo?", "a objetividade é um conceito, uma categoria, um paradigma, uma ideologia?", "a quem interessa falar sobre objetividade?", "a quem interessa que um texto jornalístico seja objetivo?" apelam para uma múltipla metodologia de análise científica e podem provocar confusão no espírito do aluno de comunicação e em todos os que se interessam pelo tema. Procuraremos, então, esclarecer passo a passo a origem de nossos pressupostos e dos procedimentos analíticos empregados.

A objetividade jornalística surgiu, em determinado momento histórico da evolução do espaço ideológico, como uma *representação*, entre outras, do jornalismo ideal, em um campo jornalístico social e geograficamente delimitado. Como enfatiza Theodore Glasser (1988), "a objetividade é apenas uma visão possível do jornalismo e da imprensa". Sua adoção como regra de procedimento profissional ou como modelo ou paradigma vem sendo bastante oscilante no último século.

Costuma-se apontar o aparecimento do conceito de objetividade jornalística, nos Estados Unidos, no último quarto do século XIX. Nesse período, o positivismo filosófico atingiu seu auge e se tornou a cultura dominante. Buscava-se, por meio dessa corrente de pensamento, o estudo do que "realmente é". Auguste Comte explicava a crise que, segundo ele, caracterizava o século XIX pela contradição entre uma ordem social teológica e militante prestes a desaparecer e uma ordem científica e industrial que nascia. Choza (1988) propõe a seguinte simplificação: "científico" = "verdadeiro" = "objetivo" = "formalizado" = "racional". Os antônimos também se equivaleriam.

Evidencia-se, para o positivismo, a redução do científico ao empiricamente verificável. Para que as ciências sociais pudessem resolver o que Comte denominava "a crise do mundo moderno", teriam de oferecer soluções baseadas em resultados tão incontestáveis quanto os das ciências exatas. Essa nova metodologia científica fez crer que todos os repentes advindos da liberdade criativa do homem não tivessem fundamento e fossem irracionais. Surge, assim, com o positivismo, a distinção entre o fato e o juízo de valor, entre o real e a valoração humana do real, entre o acontecimento a ser estudado e a opinião sobre o acontecimento. Essa distinção foi um divisor de águas em outras ciências humanas, como o direito, a sociologia, a história, a ética e, conseqüentemente, o jornalismo. Deriva daí a distinção entre jornalismo opinativo e informativo. A aplicação do positivismo filosófico à informação foi apontada sobretudo pelos críticos da objetividade.

Embora se possa pensar que o jornalismo moderno tenha derivado logicamente dos ditames positivistas, há claros indícios de que a prática do "jornalismo objetivo" tenha antecedido qualquer normatização nesse sentido. Essa prática, consolidada na última década do século XIX, é conseqüência não só de interesses econômicos ligados à eficácia, à rentabilidade, ao menor esforço e ao menor risco, mas sobretudo de uma estratégia de legitimação de um tipo de produto dentro de um campo jornalístico em formação.

O campo jornalístico, como espaço social estruturado de posições no qual os agentes lutam simbolicamente pela imposição do produto midiático mais legítimo, surge nessa época. Assim explica Pierre Bourdieu (1994, p. 4), aplicando seu conceito de "campo" a esse espaço de relações entre os profissionais da mídia:

> O campo jornalístico se constituiu como tal no século XIX em torno da oposição entre jornais que ofereciam *nouvelles*, de preferência "sensacionalistas", e jornais que propunham análises e comentários, preocupados em marcar sua distinção enfatizando com vigor os valores da *objetividade*. O campo jornalístico é o lugar de uma oposição entre duas lógicas e dois princípios de legitimação: o reconhecimento pelos pares, acordado entre aqueles que reconhecem de forma mais completa os "valores" e os princípios internos, e o reconhecimento pelo maior número, materializado pelo grande número de entradas, de leitores, ouvintes ou espectadores, ou seja, o índice de venda e o lucro monetário, uma sanção inseparável do veredicto do mercado.

De acordo com Gáldon Lopez (1994, p. 20), "aos informadores cabia refletir 'objetivamente' os fatos, de forma linear, sem interpretações, adjetivações e valorações. Não podiam emitir juízos de valor nem opinar: essas eram prerrogativas dos editorialistas". O rigor dessas normas pode ser constatado no depoimento de profissionais da imprensa da época, como Lincoln Steffens, do *New York Evening Post*, que em 1890 relatou: "Os repórteres tinham de se informar sobre a notícia que ocorria, fazendo-o como máquinas sem preconceitos, cor ou estilo. O humor ou qualquer traço de personalidade em nossos artigos era detectado, refutado e suprimido".

Surgem nessa época as técnicas do *lead* e da "pirâmide invertida", que permitiam ao leitor inteirar-se dos fatos com menor custo e facilitavam a redação das manchetes e agilizavam ajustes editoriais, pois mesmo sem conhecer o texto cortavam-se os últimos parágrafos com o menor prejuízo possível para a informação. A redação impessoal, a ausência de qualificativos, a atribuição das informações às fontes, a comprovação das afirmações, a apresentação de discursos conflitantes e o uso de aspas garantiriam a necessária imparcialidade informativa.

Inscritas em um contexto histórico e obedecendo rigidamente aos ditames de um positivismo dominante, as novas regras de elaboração jornalística representaram uma ruptura simbólica com o passado, identificado com uma imprensa "suja", "sensacionalista" e "marrom". Atendiam, assim, a alguns interesses específicos. Esses adjetivos designavam produtos concorrentes no campo jornalístico da época. Chamar um produto de "sujo" ou "marrom" é impor e legitimar uma representação do jornal ideal. Mais do que a existência de critérios gráficos, léxicos e sintáxicos, um produto midiático será "sensacionalista" ou não em função de uma luta simbólica de legitimação e deslegitimação dentro de certo espaço social.

Diversos autores indicam que o recrudescimento da concorrência passou a exigir maior celeridade e eficiência na produção e difusão dos produtos midiáticos. A reportagem informativa atendia, assim, a um interesse comercial. Interessava à Associated Press distribuir somente os "fatos crus", deixando aberta a interpretação, aos jornais clientes, de enfoques editoriais potencialmente distintos. Além desse interesse comercial das agências, também interessava aos jornais receber a informação com rapidez, oferecer uma visão aparentemente desinteressada do mundo e, com isso, não descontentar leitores e anunciantes efetivos e potenciais de cores ideológicas e inclinações partidárias diversas.

As novas práticas eram convenientes também para os repórteres, a quem interessava o maior distanciamento possível do conteúdo de suas reportagens, eximindo-se, assim, de responsabilidades éticas e até jurídicas. A escolha do tema, de sua posição na hierarquia informativa e o léxico utilizado representam um risco para todos que participam da produção midiática. Como bem observou Swain (1983, p. 151), de certa forma "a integridade pessoal dos jornalistas se põe à prova cada vez que escolhem uma palavra. Os leitores raramente percebem o efeito acumulativo dessas decisões insignificantes, a menos que possam comparar notas jornalísticas referentes ao mesmo tema". Cada etapa de codificação gera novas expectativas em relação ao trabalho jornalístico de seu autor e afeta suas relações na redação e na empresa jornalística. Dessa forma, o uso de técnicas precisas de descrição do real, ao retirar do jornalista parte do seu poder de manobra como codificador, retira-lhe também parte de sua responsabilidade. Não é o repórter quem fala ou escreve, e sim a realidade por ele espelhada.

A metáfora do espelho aparecia com grande freqüência no jargão dos profissionais e até mesmo em análises acadêmicas. Pressuporia a representação perfeita (Aumont), a âncora absoluta no real (Legendre), a ausência do incomunicável. Pressuporia também a coincidência perfeita entre a realidade fenomênica, de primeiro tipo, e suas distintas representações (realidades de segundo tipo, segundo Watzlawick), fazendo crer em uma forma de dissociação entre o enunciado e a referência (Lamizet) e na anulação do sujeito como codificador.

Se a idéia da subjetividade surgiu em um momento histórico relativamente preciso, seu prestígio passou por fases distintas a partir daí. Com o surgimento das grandes revistas, sobretudo a semanal norte-americana *Time*, e do jornalismo dito interpretativo, passou-se a questionar as restrições próprias a uma "retratação fiel" da realidade. Só uma valoração, uma hierarquização de temas, poderia permitir ao receptor distinguir com facilidade o essencial do menos importante.

Luce e Hadden, fundadores da *Time*, propunham oferecer ao leitor não só o fato, mas "os fatos sobre os fatos". O jornalista deveria fazer mais do que fotografar uma realidade crescentemente complexa e inacessível, até porque a "fotografia" tem limitações que poderiam levar à exclusão de elementos centrais à notícia. Oferecer ao leitor uma série de dados isolados não contribuía para a redução da complexidade social, pois tirava o receptor da *ignorância* dos fatos para deixá-lo na *confusão* dos fatos. A objetividade, se isso significa repetir fielmente as palavras ditas por uma fonte informativa, costuma deixar os leitores deficientemente informados quanto à significação dos acontecimentos.

Essa fase crítica da objetividade terminou com o surgimento da televisão. Os jornais televisivos, em função das próprias características do meio, exigiam um retorno à celeridade, à síntese e, portanto, à redução progressiva do produto informativo aos fatos. Quando a televisão se estabeleceu como a principal fonte de notícias, a objetividade se tornou uma norma rotineira, uma prática indiscutível, uma boa conduta jornalística em função do status privilegiado que os canais de televisão adquiriram como fontes de informação.

Assim, a defesa da objetividade como um imperativo de procedimento na produção midiática era feita em manuais de introdução ao jornalismo, em estudos de deontologia e em códigos de ética. Ensinava-se aos alunos como *devem* atuar os jornalistas, admitida a objetividade como já adotada pelos profissionais, ou como *deveriam* atuar, quando se reconhecia que equivocadamente alguns profissionais desrespeitavam a "frieza dos fatos" com "deslizes de subjetividade".

Na doutrina, a ênfase deontológica da objetividade é múltipla: o respeito à verdade, a expectativa do receptor, o dever de imparcialidade. Segundo diversos manualistas, a mistura da descrição do fato com o juízo de valor é considerada inaceitável e condenável.

De acordo com outra perspectiva, a aplicação das regras do "jornalismo objetivo" é imperativa porque existe uma expectativa de objetividade e de imparcialidade por parte do consumidor da mídia. Espera-se do jornalista o fato. O jornalista deve se tornar, assim, um "humilde servidor dos acontecimentos" (Talleyrand) e um "servidor do povo", imune a qualquer pressão de interesses políticos ou econômicos. Para Hills (1987), a expectativa de imparcialidade advém também de uma limitação de tempo por parte do receptor e do número de emissoras. Assim, se não pode haver, por razões técnicas e econômicas, mais que um número reduzidíssimo de emissoras, e poucas pessoas dispõem do tempo necessário para saber o que dizem umas e outras, os programas informativos têm de ser, sobretudo, *imparciais*, informativos, objetivos, verazes e precisos. Esse diagnóstico, no entanto, foi afetado pela explosão da internet.

Se, por um lado, durante todo o século XX parte da doutrina da comunicação preconizou, com maior ou menor contundência, a objetividade como necessária ou como algo já conquistado, por outro os códigos de ética e as normas aplicáveis em tribunais vêem na objetividade uma garantia de proteção social.

Diante dessas distintas fases em que a representação do jornalismo objetivo serviu, com maior ou menor êxito, como instrumento de luta simbólica de legitimação e deslegitimação deste ou daquele produto (e produtor) informativo em competição, veremos, nos dois capítulos a seguir, as distintas formas que o discurso da objetividade assumiu (capítulo 1) e as distintas formas assumidas pelo produto midiático "objetivo" (capítulo 2).

CAPÍTULO 1
A objetividade como discurso

Todo dever-ser se funda no ser.
A realidade é o fundamento do ético.
(Pieper, 1973)

Se a "objetividade" informativa como representação jornalisticamente interessada do jornal ideal vem sendo preconizada não só por profissionais da ética – vendedores mais ou menos circunstanciais do "dever-ser" jornalístico a compradores variados como escolas, jornais, associações etc. –, mas também por jornalistas profissionais, são cada vez mais numerosos os que a consideram impossível e até mesmo prejudicial. Classificaremos a posição desses doutrinadores em impossível ideal-típica (I) e impossível indesejável (II).

I – OBJETIVIDADE IMPOSSÍVEL IDEAL-TÍPICA

Para os teóricos cujo ponto de vista sobre a objetividade reunimos sob esta denominação, a objetividade é um ideal-tipo, ou seja, um conjunto de características e abstrações que não existem enquanto tal, em estado puro, na realidade. Trata-se de uma racionalização utópica. Para esses autores, a "objetividade informativa" é um modelo abstrato que, embora não possa ser atingido na sua plenitude, deve significar uma tendência, uma orientação, uma direção a ser buscada em permanência pela informação jornalística. Emil Dovifat (1964) observa que a notícia "é uma comunicação controlada e dirigida". Sustenta que o jornal informará da melhor maneira possível, não sendo objetivamente verdadeiro, mas subjetivamente verossímil. Defende a inviabilidade de um jornal puramente objetivo. Para ele, um jornal puramente objetivo ou não seria lido por ninguém ou se desmoronaria no primeiro erro de cálculo. Dovifat enfatiza que a pretensão de objetividade nunca se ajustará à autenticidade objetiva.

Reconhecida a imperfeição intrínseca ao processo comunicacional, e aceita a "objetividade informativa" como tendencial, os autores, ao avaliar essa tendência, ora enfatizam as características do produto mediático (A), ora consideram que a "objetividade informativa" não pode ser avaliada pelo produto e sim pelo procedimento ou intenção do seu autor (B).

A. A OBJETIVIDADE COMO UM TIPO DE MENSAGEM

A objetividade como um tipo de mensagem se confunde com o próprio conceito de "informação". A noção de informação, como a de comunicação, é passível de múltiplas abordagens, com contornos pouco precisos. A confusão persiste quando os autores se propõem a estabelecer as diferenças entre os dois conceitos. O termo informação, em português, é polissêmico, apresentando pelo menos três significados distintos: os dados (de um certo problema ou da informática – *data),* as notícias jornalísticas *(news)* e o saber de uma forma geral (*knowledge*). No entanto, a restrição da informação ao conteúdo do ato de comunicação fundamenta a análise de muitos autores. A idéia de diferenciar comunicação como processo, relação e forma de informação (conteúdo transmitido) assegura a quantificação da informação e permite mensurar a objetividade. Essa visão é hoje fortemente criticada, como veremos a seguir. Assim, se a comunicação advém da intersubjetividade (processo entre sujeitos), a informação se instituiria em relação ao real. A instituição da objetividade no espaço simbólico da comunicação se traduz na quantificação da informação, ou seja, na ênfase em seu conteúdo.

A informação traz à intersubjetividade do processo comunicativo uma nova perspectiva: a âncora no real, uma ponte entre o real e o campo da comunicação, entre "o fato e o acontecimento informativo".

Roger Clausse (1963) estabelece uma diferença entre o fato e o acontecimento informativo. Este último consiste em um fato de atualidade significativo, no sentido de que influi na vida pessoal e coletiva dos homens, comprometendo-os no fluxo da história. A passagem do fato ao acontecimento é conseguida por meio de um contorno completo do primeiro, analisando seu conteúdo, seus antecedentes e suas repercussões. Clausse busca, na fidelidade dessa passagem, a objetividade informativa.

Para Desantes Guanter (1976, p. 23),

> a informação supõe dar uma forma mental à realidade, que é o suposto prévio informativo. Uma informação realista toma como referência inicial a realidade, não a capacidade intelectiva do informador. A informação é a realidade mesma posta em forma para possibilitar sua veiculação até o sujeito receptor. A realidade é assim o paradigma, o dado primordial, o ponto de partida, a condição *sine qua non* para a informação.

Como avaliação da ruptura do equilíbrio social, a informação não se interessa pela normalidade e sim pelo que escapa ao ordinário. O fato de os trens terem chegado e saído com pontualidade em uma estação suíça qualquer entre Genebra e Lausanne tem importância para os que se servem desse meio de transporte, mas, por não representar nenhuma ruptura com a normalidade, terá menos chance de ser mediatizado em informação. Escapa a esta análise (daí o seu valor meramente tendencial) a informação como prestação de serviço, onde a normalidade interessa a ouvintes ou leitores específicos.

Dessa forma, autores de formações científicas distintas, servindo-se com maior ou menor fidelidade do modelo matemático linear shannoniano, entendem a informação ora como medida (de eficácia) da comunicação, ora como seu conteúdo[1], enfatizando um aspecto ou outro. Para que fique mais claro, observe o modelo simplificado de Shannon no gráfico a seguir:

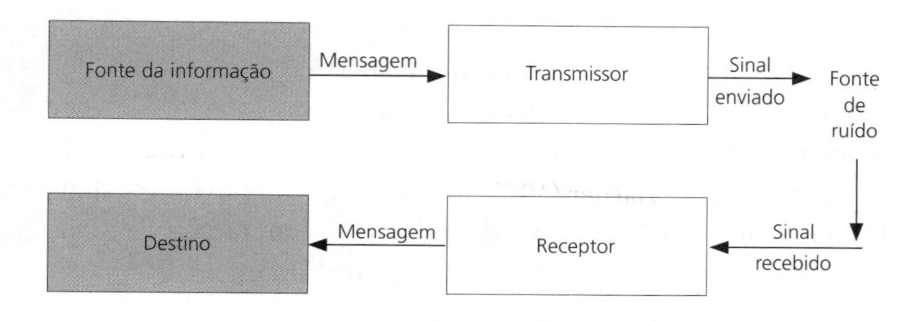

Como explica o professor Estéban López-Escobar (1993),

> uma questão dominante na literatura científica norte-americana sobre a comunicação é a eficácia. O que interessa principalmente é conseguir que os destinatários das mensagens se comportem de uma determinada forma. Os aspectos relacionados com o intercâmbio, com o diálogo, foram ignorados por boa parte dos estudiosos da comunicação. Aprender a comunicar consiste, então, em adquirir destrezas sobre a elaboração de mensagens e o uso dos meios de comunicação para difundi-las, com o objetivo de conseguir que o destinatário se comporte como desejado. Conseqüentemente, as falhas de comunicação são, fundamentalmente, fracassos na mobilização daqueles a quem ela se dirige.

Para Bertalanffy (1975, p. 43), o conceito de informação faz referência a uma medida quantitativa da improbabilidade dos acontecimentos e das organizações. Para Orive Riva (1977, p. 110), "a informação encerra um conteúdo que, por princípio, deveria tender a ser o mais completo possível, para perfilar os traços definidores desse algo, suas propriedades, circunstâncias e dimensão semiológica". Roger Escarpit (1975, p. 133) também entende a informação como "a medida, matemática ou não, do conteúdo das mensagens que a mídia transmite". Ele distingue, assim, a informação da comunicação, entendendo esta última como sendo "um processo complexo que funciona através de determinado número de aparatos, dos quais a mídia só compõe a parte tecnológica".

Para Norbert Wiener (1969, p. 26), informação é o conteúdo do que trocamos com o mundo exterior quando tentamos nos adaptar a ele e impor-lhe nossa adaptação. Bureau e Namian (1972, p. 68) definem a informação como "a substância dos dados inteligíveis de toda espécie". Para Garner (1962, p. 27), "a informação é o [conteúdo] que reduz, por intermédio de um ato de comunicação, a ignorância e a incerteza quanto ao estado de uma situação dada".

A comunicação seria, nessa perspectiva, o ato de dar, carregado de subjetividade, enquanto a informação seria aquilo que se dá (o seu conteúdo). Essa distinção entre comunicação e informação isola a subjetividade inerente à construção da mensagem no processo comunicacional e propõe que a informação, pensada como materialidade significante da mensagem, seja desprovida de subjetividade[2].

A descrição do objeto suplanta a razão do sujeito como autor do enunciado. A informação não é avaliada, aceita como tal, em um processo comunicativo (reconhecimento intersubjetivo), mas, sim, depende da referência (o real codificado) como instituidora do significado. Resta saber como medir a objetividade informativa. Quais as características que compõem esse ideal-tipo? Se a objetividade informativa não existe em estado puro na realidade, quais os critérios para detectar a maior ou menor objetividade de uma informação específica?

Uma enumeração das interpretações "positivistas", com pretensão de síntese, foi dada por Pertti Hermánus (1979). A "objetividade" se caracterizaria por seu caráter "restrito" a alguns aspectos da realidade; seria sinônimo dos conceitos de "equilíbrio" e "justiça", de "pluralidade" e de "neutralidade", um conjunto de "formulações aceitáveis por todos".

INFORMAÇÃO E VERDADE

Para muitos deontólogos, a verdade é condição primeira da informação. Luca Brajnovic (1979, p. 37) explica que "a informação é inseparável de sua verdade, da maior exatidão possível e da realidade que transmite ou notifica. Se a informação não é veraz, ou carece da maior exatidão possível, não é informação". A verdade, assim, se constitui como uma norma que garante o desenvolvimento do processo comunicativo entre o codificador e o decodificador.

No caso hipotético da adoção da mentira[3] como regra do processo comunicativo, o real deixaria de ser a referência. Neste caso, a percepção da realidade seria inútil para a seqüência da relação intersubjetiva. A construção mental, que assume o papel de referência, rompe com a realidade e institui a "falta absoluta" (Legendre) como única certeza do processo comunicativo. Para alguns autores, a ruptura com o real quebra o processo comunicacional.

Se a verdade, de acordo com essa ótica, é condição da comunicação, esta é indispensável para que a primeira se manifeste. Em outras palavras: não há verdade sem comunicação. A verdade é um juízo que se diz ou se escreve (é do âmbito da linguagem, da comunicação) e se interpreta. Como componente ideal-típico da informação, a verdade "não se pode dizer toda, uma vez que só os objetos podem se esgotar na sua exaustividade. A verdade é um horizonte na direção do qual tende o discurso" (Lamizet, 1992, p. 117). Por ser uma exibição discursiva das coisas reais, "a verdade é algo segundo, subordinado. Não existe uma verdade por si só" (Pieper, 1973, p. 144).

Ao implicar um engajamento daquele que enuncia, ao necessitar de um enunciado (ponto de passagem de um intercâmbio simbólico-comunicativo à materialidade) para aparecer na atividade simbólica do sujeito, a verdade é um tipo de apropriação discursiva que não só objetiva aquele que fala (Lacan), mas também situa seu autor nos espaços sociais que ocupa de forma estruturada (Bourdieu). Como apropriação discursiva, a verdade é tendencial[4].

Além do respeito à verdade informativa, outros parâmetros constituem o ideal-tipo da objetividade. Em alguns casos, Westerstahl (1983) relativiza a importância da verdade para a objetividade informativa. O autor e seu grupo pesquisaram o grau de respeito que a programação da *Swedish Public Broadcasting* consagra à determinação legal de imparcialidade. O estudo partiu do pressuposto de que a imparcialidade é possível e desejável. A metodologia utilizada foi a comparação de notícias sobre temas controversos, apresentadas supostamente de forma neutra, com a apresentação informativa do mesmo tema em outros canais. Para eles, um jornal pode conter dúzias de erros menores sem que estes influam necessariamente na apresentação do tema de maneira apreciável. "Nas pesquisas feitas sobre debates políticos, a questão da verdade não tem interesse, uma vez que se trata prioritariamente de retratar um debate e não de analisar a validade dos argumentos expostos" (Westerstahl, 1983, p. 415). Para o professor da Universidade de Gothenburg, o ideal-tipo "objetividade informativa" é composto por dois outros: a factualidade e a imparcialidade. No momento, só nos interessa o primeiro, porque tratamos por ora de um conteúdo ideal-típico. O segundo diz respeito à postura do informador, com ênfase no sujeito e na mensagem.

INFORMAÇÃO: FACTUALIDADE E IMPARCIALIDADE

Embora a separação entre ambas não seja em nenhum caso absoluta, a "factualidade" diz respeito sobretudo a aspectos cognitivo-informativos, enquanto a "imparcialidade" faz alusão prioritariamente a aspectos avaliativos. A "factualidade" *(factuality)* é analisada por Dennis McQuail (1992) segundo três características:

a clara separação entre fatos e opiniões, interpretações ou comentários, mencionando as referências, nomeando as fontes e evitando abstrações e ambigüidades; correspondência entre reportagem e realidade *(accuracy),* especialmente em questões de fato ou quantidade (números, lugares, nomes, atribuições, horários etc.); o número mínimo de informações relevantes para que a mensagem seja compreensível *(completeness).* Surgem dessa análise, segundo o autor britânico, três medidas da objetividade informativa: o valor da informação *(information value),* a legibilidade *(readability)* e a checabilidade (*checkability*).

Valor da informação

Asp (1981) propõe uma medida do *valor da informação* segundo três parâmetros: densidade (a proporção de pontos informativos relevantes em relação ao total de informação em um universo informativo dado); a proporção quantitativa entre o número de diferentes pontos mencionados em relação ao total de possibilidades; profundidade (elementos mencionados que ajudam a explicar os pontos básicos).

Sem discutir seu interesse como componentes de um ideal-tipo, essas proporções se prestam à dúvida porque envolvem elementos nada precisos e que dependem da imposição arbitrária de algum tipo de critério. No caso da densidade, a relevância de um tema depende de fatores como tempo, lugar, observador e, sobretudo, receptor. Como observa Perelman (1984), o que merece ser anotado ou publicado depende inteiramente do interesse presumido dos leitores, que é essencialmente variável.

Dessa forma, um jornal esportivo poderá, sem faltar com as exigências da objetividade, se dispensar de publicar os índices da bolsa, e um jornal especializado em finanças poderá negligenciar completamente os resultados das últimas provas hípicas. Da mesma forma, quando o autor fala no número total de possibilidades (que outros chamam de "contexto"), não é fácil estabelecer seus limites. Se todo fato tem fatos-causa e fatos-conseqüência, o número total de possibilidades só se esgotaria no infinito. Essa crítica se estende a todos aqueles que associam a objetividade de um produto mediático à fiel exposição de seu contexto. Sem uma definição clara de contexto, não nos parece que há algum ganho em precisão.

Legibilidade

O segundo elemento elencado por Dennis McQuail é a *legibilidade (readability)*, Trata-se de uma medida do grau de redundância de um texto segundo dois critérios: incidência de fatos e clareza da exposição. Textos informativos com baixa incidência de fatos tendem à redundância. Por outro lado, a mídia depende da clareza de seus produtos para reduzir a complexidade social e promover a integração.

Luis Núñez Ladevése (1991, p. 154) estabelece com propriedade a distinção entre clareza e expressividade estilística:

> A clareza é algum tipo de condição, relacionada com a função sintética da língua, intermediária entre os desenvolvimentos cognitivos e funcionais específicos e a norma culta comum, que facilita a compreensão. Por outro lado, a expressividade estilística é uma função relacionada com a capacidade que tem aquele que fala ou escreve para escolher, entre as distintas formas lingüísticas (principalmente léxicas e retórico-literárias ou poéticas), as mais eficazes para suscitar ou evocar determinadas representações intelectuais ou emocionais no interlocutor ou destinatário, sem prejuízo da clareza.

A legibilidade é, então, a contrapartida da clareza junto ao destinatário. Quanto maior for a clareza tendencial, menor será o custo da decodificação. Trata-se de um princípio da economia aplicado ao texto. "Se é possível expressar uma magnitude informativa ou conteúdo mental específico em um extrato mais virtual de explicitação significativa, sem que a compreensão daquilo que foi expressado suponha nenhum esforço para o destinatário. satisfaremos uma exigência econômica da textualidade" (Núñez Ladevése, 1993, p. 16).

Checabilidade

O último aspecto mencionado é a *checabilidade (checkability)*. Quanto maior o número de unidades informativas verificáveis em um texto, mais factual ele será e, portanto, mais objetivo. Procura-se medir a possibilidade de acesso à referência que tem o destinatário da informação. Esta deve oferecer, sempre que possível, a possibilidade de verificação da referência. Mesmo se essa verificação raramente se faz, a prerrogativa de fazê-la é uma garantia para o destinatário, porque assegura a aparência de objetividade e reforça a credibilidade do veículo informador. A adesão à lógica do processo comunicativo depende dessa credibilidade, ou seja, de que a informação tenha uma efetiva âncora no real.

A prerrogativa de checar a fonte esbarra no chamado "segredo profissional" do jornalista. Em alguns casos, o jornalista não revela a fonte com o objetivo de protegê-la. Em outros, para garantir "fidelidade", em um matrimônio de conveniência em que o repórter precisa da fonte, pela sua autoridade e conhecimento específico, e a fonte precisa do repórter, para divulgação e o conseqüente reconhecimento social.

Cabe citar a postura "herética" de Jerry Chaney (1979, p. 28) ao questionar o anonimato das fontes.

> Por que o público não se pergunta sobre a possível orientação desorientadora nas informações jornalísticas que vêem e ouvem? Não é necessário um esforço mental gigantesco para chegar à conclusão de que conhecer aquele que deu a informação pode ser tão importante quanto conhecer o que o "informante" tinha para dizer. O conhecimento da fonte afeta a credibilidade pelas qualificações da fonte para dar a informação.

Ainda sobre essa questão, Culberstone (1978) conclui que, nos Estados Unidos, quanto mais prestigioso o jornal pesquisado, maior a incidência de fontes anônimas.

Imparcialidade

No que concerne à imparcialidade, é forçoso evitar o simplismo. Está claro que não se trata apenas de detectar as diversas versões ou opiniões sobre um mesmo fato. O pluralismo na imprensa

> não corresponde a um balanço aritmético de conteúdos informativos ou de opinião, em que todas as opções políticas e ideológicas têm uma quota proporcional de positivo/negativo, normal/sensacional. Da mesma forma, em um sistema político bipartidário, não se trata de conjugar opostos. É algo mais amplo: pensando na enorme variedade de leitores e no conjunto social, onde há tantos matizes diferentes, trata-se de tentar refletir a diversidade. (Yrce, 1984, p. 53)

Dessa forma, elementos como verdade, equilíbrio, checabilidade, clareza, legibilidade, eqüidistância e isenção são os mais comumente citados como componentes do ideal-tipo "objetividade" ou como medidores do grau de objetividade de um produto específico da mídia. Não há, porém, nenhuma pretensão exaustiva. Para muitos autores, no entanto, a objetividade é um estado de espírito, uma intenção, um procedimento daquele que enuncia.

B. A OBJETIVIDADE IDEAL-TÍPICA COMO INTENÇÃO OU PROCEDIMENTO

"A objetividade não existe, mas a vontade de ser objetivo pode ou não existir." Essa frase de Alfred Grosser (Derieux, 1983, p. 135), citada em vários livros de ética, não poderia resumir melhor visão "subjetiva"[5] da objetividade. Transferir a ênfase da objetividade da adequação "enunciado-referência" para o sujeito (autor do enunciado) representa uma caução deontológica às contribuições das demais ciências, uma interpretação "idealista" da objetividade e um artifício para que o tema da objetividade informativa não desapareça por falta de objeto.

Hermánus (1979, p. 9), ao abordar as falsas interpretações da objetividade, enumera as "interpretações idealistas" que correspondem ao desmembramento da objetividade como intençãoprocedimento: "a objetividade é algo que se consegue automaticamente, 1 – quando o jornalista realmente tem a intenção de ser objetivo; 2 – quando o jornalista assume uma atitude neutra frente ao tema em questão ou frente à sociedade em geral; 3 – quando o jornalista tem os conhecimentos profissionais necessários".

Se, na deontologia da informação, a busca da objetividade tendencial não for preconizada, admite-se implicitamente a subjetividade radical (ou seja, uma espécie de "vale-tudo informativo"). Cairíamos num ceticismo exagerado, comumente resumido pela frase de Mauriac, recordada por Beuve-Mery (1970, p. 15): "A informação é falsa por essência".

Veremos primeiro diferentes matizes de alguns destes autores e, em seguida, como se traduzem essas "boas intenções" no procedimento de elaboração de um produto mediático.

Benito (1972), por exemplo, comenta que "a objetividade é um problema de honestidade do informador; é honesto quem põe todos os meios para informar-se bem; quem procura ouvir todos os lados; quem não oculta nada do que percebeu; quem não tergiversa ao que se opõe às suas opiniões".

Seguindo esta idéia (comumente sustentada por importantes deontólogos e professores de ética informativa), a objetividade informativa, como forma de comportamento honesto, independeria de um maior ou menor nexo com a realidade. Assim, pode ser perfeitamente "objetivo" um artigo composto exclusivamente por informações falsas, dadas ao jornalista pelas fontes mentirosas que consultou.

Raul Rivadeneira Prada (1979, p. 189), com uma visão semelhante, sustenta que a necessária objetividade terá de entender-se como um comportamento, "quanto mais se pretender uma aproximação do paradigma de conduta chamado objetividade".

Pedro Ramirez (1980, p. 115) cita Abe Rosenthal (lendário diretor de redação do *New York Times)*, que também enfatiza a importância da busca da objetividade, reconhecendo que, "enquanto forem seres humanos os que decidem como, quando e onde se publicará um artigo, a objetividade absoluta e nítida é impossível. Mas lutamos para alcançar o maior grau de objetividade possível". Emmanuel Derieux (1983) sustenta que a objetividade é uma atitude do jornalista: "A objetividade, jornalisticamente falando, é o esforço do jornalista para conseguir que seu conhecimento seja objetivo, ou seja, verdadeiro, adequado ao objeto que conhece".

INFORMAÇÕES NÃO-INTENCIONAIS

Martinez-Albertos (1978) divide as mensagens informativas (quanto à objetividade) em "não-intencionais" e "iniciativas". A objetividade como produto mensurável, consumível, estruturante e estruturado pelas expectativas dos consumidores se traduz pela não-intencionalidade da mensagem informativa. Como explica o referido professor, a objetividade é uma disposição psicológica daquele que enuncia, visando um fim. Martinez-Albertos (1978, p. 85) vê a não-intencionalidade de uma informação quando,

> do ponto de vista do propósito de seus promotores, tal mensagem alcança seus objetivos, uma vez que tenha sido difundida e consiga ser transmitida de maneira suficientemente eficaz para que chegue a um número importante de pessoas, de concidadãos, para quem se supõe que tal mensagem possa ter algum grau de utilidade, imediata ou posterior.

Desantes Guanter e Soria (1991) vinculam ainda mais a objetividade àquele que enuncia e não ao enunciado, apontando-a como um ato continuado, um hábito do informador. "Consiste, em definitivo, em que o informador cumpra com o dever de se despojar de todo elemento subjetivo para apreender o fato tal como é e comunicá-lo tal como o apreendeu." Sustentam que a objetividade, como a justiça, é um valor tendencial. O informador tem o dever de ser o mais objetivo possível e de adquirir, de maneira progressiva, o hábito da objetividade. Entendida assim, a objetividade é exigível sempre deontologicamente.

Lecaros (1989, p. 71) também destaca o codificador como elemento central da objetividade informativa: esta "requer um certo silêncio interior que permita que a realidade que se está conhecendo modifique sua mente. Isso implica calar seus próprios juízos, prejuízos e idéias preconcebidas, para que a realidade tenha sobre ele o mais forte impacto".

Essas observações nos levam a uma postura pragmática segundo a qual a objetividade tendencial se tornaria possível quando a "honestidade", o "propósito", o "silêncio interior" e a "vontade" se materializam em um "comportamento", "hábito" ou "procedimento" informativo. A objetividade informativa é vista, assim, em termos processuais, como um movimento em direção à representação perfeita que jamais atingirá seu fim.

Objetividade-conteúdo (produto informativo), objetividade-intenção (produtor informativo) ou objetividade-procedimento (produção informativa) são ênfases a momentos distintos de um processo comunicativo no qual a informação e sua âncora no real têm especial importância. Quando a objetividade é medida pelo conteúdo da mensagem, o que se examina é o produto informativo, não importando o produtor nem o processo de produção. No caso da objetividade como intenção, o produtor é a própria medida da objetividade, sendo irrelevante o resultado do seu trabalho. No terceiro caso, o da objetividade como procedimento, a ênfase da avaliação está no processo de produção, não importando os valores ético-morais do jornalista nem o resultado final da sua produção. Apesar dessas diferenças de enfoque, para todos os autores citados neste capítulo a busca da objetividade tendencial é um imperativo da deontologia jornalística. Entretanto, essa posição não é unânime.

A objetividade e suas regras de procedimento são alvo de severas críticas por parte de estudiosos da comunicação que, de um lado, não vêem sentido em perseguir o que não existe (a objetividade plena ou pura) e, de outro, relativizam a eficácia dos dogmas do "jornalismo informativo" para atingir o objetivo de bem informar.

II. OBJETIVIDADE IMPOSSÍVEL-INDESEJÁVEL

A objetividade absoluta é inatingível por razões mais ou menos inerentes à especificidade da produção mediática. Veremos, em um primeiro momento, os argumentos dos autores que refutam a objetividade como tema pertinente e como preocupação deontológica (A) e, em seguida, por que as normas de procedimento jornalístico que assegurariam a objetividade são criticáveis (B).

A. A OBJETIVIDADE IMPOSSÍVEL

As críticas à objetividade variam em função da especificidade de formação e de atividade de seus autores. Os jornalistas ou observadores da mídia denunciam obstáculos relativos ao fato, ao observador-fonte e à própria produção jornalística. Filósofos, antropólogos e lingüistas apontam as limitações intrínsecas à linguagem, ao simbólico, ao codificado.

O fato, que dá a base real da informação, é imprevisto, e a testemunha não é necessariamente um observador experimentado. Esse fato não é suscetível de repetição, ele é único, dificultando que seja retificada uma primeira observação. O observador, por outro lado, ao expor-se a um acontecimento, irá percebê-lo conforme as limitações de seus sentidos e interpretá-lo segundo sua história, opiniões e preferências, das quais é impossível se abstrair. Esse mesmo crivo de subjetividade se faz presente ao jornalista na escolha e no contato com o observador-fonte.

No que concerne à elaboração informativa, as limitações são de tempo e de espaço. A produção mediática, caracterizada pela atualidade e pela celeridade progressiva, é fonte de descompassos sucessivos entre a referência e o enunciado. O número de fatos geradores de notícia (potencialmente mediatizáveis) que chegam às reuniões de pauta deve ser reduzido para se adequar aos espaços predispostos pelo veículo. A seleção temática é inevitável. Da valoração da notícia dependerá sua colocação e extensão, sua posição nesse espaço hierarquizado referencial que é o jornal (seja ele impresso, radiofônico ou televisado). Esses traços de subjetividade na produção da mídia serão examinados no capítulo seguinte.

A AUTONOMIA DO ENUNCIADO

Essas limitações inerentes à produção e ao produto mediático afetam a adequação entre a referência e o enunciado. O que "é" não é o que "vemos", e o que "vemos" não "é" o que falamos[6]. No processo comunicativo, o enunciado é um ente relativamente autônomo em relação a seu autor e não se esgota na designação de um objeto, pois tem seu próprio "objeto correlativo" (Foucault), sua "materialidade autônoma" (Humboldt). Refuta-se aqui a noção de linguagem como um sistema de signos, como um instrumento mediador entre as coisas externas e as impressões da alma, como um instrumento para a transmissão de pensamentos pré-lingüísticos ou para a designação de objetos dados com independência destes (tradição que vem desde Aristóteles até Kant).

Para Humboldt (1979, p. 153),

> a idéia de que as distintas linguagens se limitam a designar com palavras distintas a mesma massa de objetos e conceitos, existentes independentemente deles, e a ordená-los segundo distintas leis, de que a linguagem é meramente um meio para se dirigir às coisas, para chegar a elas, é destruidora do estudo da linguagem e impede a expansão do conhecimento.

Quando um locutor enuncia, ele se refere não só a algo que existe no real, à realidade de primeira ordem, ao que é passível de percepção consensual, prova e refutação experimental repetidas, à soma daquilo que é efetivo ou potencial, mas refere-se também, ao mesmo tempo, "a alguma coisa que existe no mundo social, como totalidade das relações interpessoais legitimamente estabelecidas, e a alguma coisa que existe no próprio mundo subjetivo do locutor, como totalidade das experiências subjetivas manifestáveis, às quais o locutor tem acesso privilegiado" (Habermas, 1983, p. 45).

Esses três elementos acabam por constituir uma realidade de segunda ordem "que concerne à significação, ao valor, ao papel que se atribui ao real" (Watzlawick, 1978, p. 137-8). Entre essas duas ordens de realidade – de um lado o que existe e, de outro, a representação que fazemos do que existe – surge inevitavelmente a "falta", ou seja, o marco da diferença entre uma e outra.

A CODIFICAÇÃO E A "FALTA"

A "falta" é inerente a todo processo de codificação informativa. Trata-se da distância inevitável entre a representação que o jornalista faz da realidade e a própria realidade a ser descrita. Essa "falta"[7], entendida como a impossibilidade, para o simbólico, de abordar o real, se coloca como obstáculo intransponível para a objetividade pura de qualquer atividade codificadora, falseia a metáfora do espelho e institui o espaço da comunicação no campo do simbólico, do não-real. De acordo com Real (1989, p. 251),

> é impossível, epistemológica e metafisicamente, para a mídia, independentemente do seu grau de sofisticação, apresentar um quadro completo do mundo. Só o próprio mundo faz isso. Quando usamos a linguagem, a ciência, o mito ou qualquer outro sistema simbólico para representar ou manipular a realidade, podemos fazer grandes coisas, mas nunca representar a realidade de forma clara. Argumentar que a mídia oferece um acesso não-distorcido e objetivo à realidade não faz sentido. O espelho é obviamente nebuloso, dando-nos reflexos pouco perfeitos de nossa natureza humana, individual e coletivamente.

A notícia é um produto real que faz referência a algo exterior a ela (por isso é um símbolo). O texto jornalístico, como qualquer texto de literatura, é um "referente". Assim, todo texto informativo "se refere" a um fato sem ser o próprio fato, daí sua dimensão ficcional. O fato, o real a ser codificado, "o visível também não é um sentido mudo, um significado de potências que se atualizaria na linguagem" (Deleuze, 1977, p. 71). Disso resulta a independência possível entre o produto jornalístico e o fato que lhe deu origem.

Os filósofos que se dedicam à análise da relação entre a realidade e a ficção podem ser classificados em dois grupos, em função de suas posições epistemológicas: de um lado, os "integracionistas", para quem não há nenhuma distinção ontológica entre a ficção e as descrições não-ficcionais do universo. De outro, os "segregacionistas", que caracterizam o conteúdo dos textos de ficção como pura obra da imaginação.

Para os "segregacionistas", qualquer codificação é apartada de referenciais na realidade fenomênica. Eles tendem a abolir as fronteiras entre a ficção e os demais tipos de discurso (como o jornalístico-informativo), supondo que todos os tipos de discurso obedecem a convenções igualmente arbitrárias em que a relação com o real é mais ou menos circunstancial. O jornal, ao selecionar temas e símbolos para descrever, constrói um mundo possível, um mundo ficcional com aparência de mundo real. Nesse mundo possível construído pelo jornal, os articulistas e colunistas, que desempenham simultaneamente o papel de produtores e produtos da mídia, são, a rigor, personagens.

Como observa Garcia Noblejas[8], essas representações fictícias, que constroem este ou aquele mundo possível, entre tantos potenciais, e que são analógica e simbolicamente construídas, estão ativadas e apontam diretamente para o leitor, ouvinte ou telespectador. Observe-se, ainda segundo Noblejas, que os mundos possíveis construídos pelos meios informativos são sempre plurais e comparáveis entre si, pedem sistematicamente uma cooperação ativa do destinatário e são sempre parasitas do mundo real, tendo a consistência de enunciados destinados a atrair a atenção sobre o mundo real.

Com efeito, não se pode sustentar que o texto informativo não tenha nenhuma dimensão pragmática, ou seja, nenhuma relação com a realidade. Diante da "codificação inevitável", da "falta" inexorável, da "objetividade impossível", discute-se quando existe uma maior ou menor proximidade do referente ao referencial? Em outros termos, diante de uma objetividade ideal-típica (portanto, racionalizada e utópica), que posição ocupa o texto informativo? Ou, ainda, podemos perguntar, como Thomas Pavel (1988, p. 181), quando há ficção? Na paisagem ontológica que os meios de comunicação nos oferecem, mesclam-se aspectos semânticos inquestionáveis, mas há também traços pragmáticos espetaculares e lúdicos que condicionam a organização "cosmológica" desses mundos possíveis. Por isso, sustentamos que "ficção" e "falta" são como dois lados de uma mesma moeda.

Lamizet (1992) vê na "falta" um caráter estruturante fundado em dois tipos de explicação: antropológica e psicanalítica. Para a antropologia, a falta designa aquilo que me separa de um objeto que me é "inter-dito" (proibido). Entenda-se, etimologicamente, a idéia de um dito "entre". A idéia de um discurso situado entre o sujeito e o objeto que lhe é proibido, ou seja, o objeto que lhe falta. Para a psicanálise, a falta é o que institui a separação entre o real e o simbólico, entre o proibido e o permitido, e o que garante que o simbólico continue a sê-lo, como escolha, como redução, como limite da representação (e portanto da informação). Essa característica redutora e seletiva do simbólico-comunicativo produz efeitos: permite a redução da complexidade do real, sua conseqüente percepção e a redução da dupla contingência nas relações interpessoais, possibilitando assim a integração social.

Ao colocar em símbolo, o autor do enunciado necessariamente escolhe. Essa prerrogativa da escolha nos leva a pensar na dimensão política de qualquer ato comunicativo, na codificação informativa como uma operação lingüística[9], como um tipo de manipulação. Estamos diante de uma operação lingüística *sine qua non* para que se possa produzir este fenômeno cultural que se chama notícia. Nesse sentido, o jornalista é um operador semântico, isto é, o homem, ou, melhor dizendo, a equipe humana que escolhe a forma e o conteúdo das mensagens jornalísticas, dentro de um elenco mais ou menos amplo de possibilidades combinatórias com finalidade semântica (Martinez-Albertos, 1977, p. 36).

Dessa forma, pode-se dizer que toda notícia supõe uma manipulação. Não como disjunção dolosa entre o enunciado e a referência, mas como transformação de matéria-prima em um produto jornalístico. Em outras palavras, quando falamos em manipulação, inerente à produção informativa, não queremos dizer que o jornalista queira enganar, fazer crer naquilo que não é. Se isso ocorre, certamente não é a regra. A própria construção da notícia pressupõe uma seleção temática e léxica que impõe, do fato, uma representação.

O modelo de Gerbner procura demonstrar graficamente esse processo de codificação operado pelos meios:

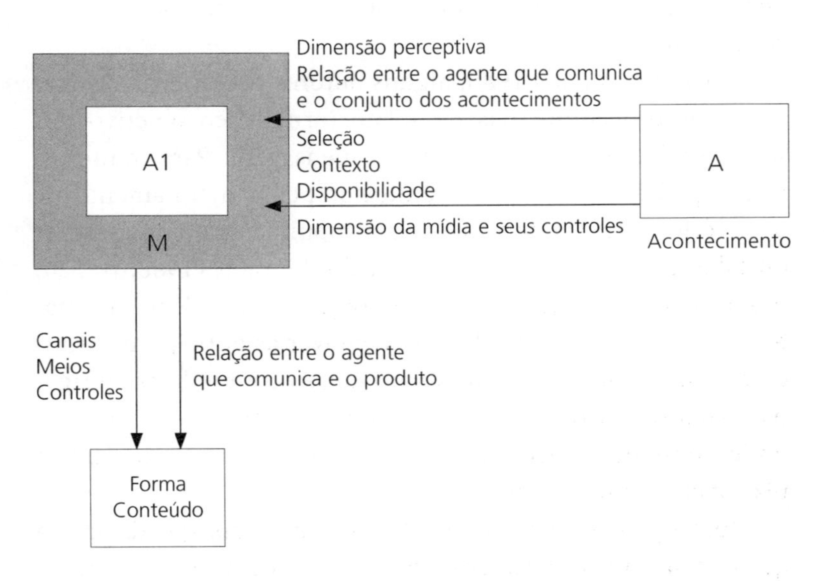

Modelo simplificado da comunicação de Gerbner: o codificador M percebe A como A1.

Apoiados pela demonstração filosófica da objetividade impossível, atores do campo jornalístico, interessados em legitimar produtos informativos "menos informativos", ou seja, menos limitados pelas regras do "jornalismo objetivo", passaram a criticá-las, denunciando sua ineficácia. O que parecia inatacável (*lead*, pirâmide invertida, estilo padrão etc.) passou a ser questionado.

B. A OBJETIVIDADE INDESEJÁVEL

As regras da objetividade não cativam o leitor, despersonalizam o jornalista e dão da realidade uma visão superficial e parcial. As críticas à objetividade informativa provêm de várias frentes. Sua sistematização, no entanto, é muito recente, A longevidade dos manuais acadêmicos de técnica jornalístico-informativa é reveladora de poucas mudanças doutrinárias. O *Interpretative reporting* de Curtis MacDougall foi reeditado oito vezes em mais de 50 anos. Outros manuais também permaneceram por décadas em edição sem alterações substanciais.

A partir dos anos 1980, alguns autores passaram a criticar as regras procedimentais do relato jornalístico objetivo por serem ineficazes para transmitir a mensagem. Para muitos, o rígido padrão formal da pirâmide impedia o tratamento de uma série de temas da vida social. Impunha-se como escrever ou falar e sobre o quê. Nesse sentido, Bennett (1988, p. 120) observou que "a objetividade se reforça pelo uso de um formato comum e estandartizado para envolver as notícias, que funciona como um controle implícito de seu conteúdo ao obrigar os jornalistas a obter todos os fatos (quem, o quê, quando, onde, como etc.) necessários para construir um relato sólido e plausível de um incidente".

Outros preconizam a necessidade de uma valoração da pessoa que informa, inviável para os ditames objetivistas. Existem ainda os que sustentam uma necessidade de cativar o leitor, ou seja, incentivar a exposição e a atenção ao produto midiático. Para estes, os leitores não são incentivados a chegar ao final da notícia porque o essencial já foi transmitido na manchete e nos primeiros parágrafos.

CRÍTICAS À PIRÂMIDE INVERTIDA

As críticas à pirâmide invertida estão dispersas em alguns manuais de jornalismo, de deontologia e em artigos sobre análise de discurso. Destacamos três principais diretrizes: critica-se a pirâmide por ser *rígida* (não permitir outra estrutura ou ordem de relato), *repetitiva* (anódina, uniforme e enfadonha) e por ensejar um final *intercambiável.*

Por que rígida? A exigência do *lead,* da resposta aos famosos cinco Ws e a hierarquização do texto retiram-lhe flexibilidade e reduzem o poder de manobra do jornalista para ordenar os fatos que coletou.

Por que repetitiva? Fundamentalmente porque a manchete, o *lead* e o desenvolvimento da notícia dizem a mesma coisa. Trata-se de uma repetição decorrente da ordem do relato, que acabou criando, com essa técnica, o gênero "leitor de manchete", cujo espécime mais radical é o poupador "leitor de banca".

A manchete jornalística, diferentemente de um título comum, encerra o conteúdo fundamental do texto, resumindo-o semanticamente; é a sua macroestrutura semântica. Para Van Dijk (1988), a macroestrutura é uma estrutura subjacente, a mais abstrata que a leitura de um texto pode apresentar. Isso porque a macroestrutura representa o resumo extremo de um texto, e o título jornalístico é a proposição macroestrutural extrema. O *lead* representa um princípio de contextualização da manchete que se esgota no desenvolvimento do corpo da notícia. "Em um texto tradicional, o leitor terá de avançar até a última linha para configurar por si mesmo, a partir da soma dos significados particulares de cada proposição, o conteúdo global desse texto e seu sentido" (Sanchez, 1991, p. 219). Entretanto, o leitor de um jornal começa a ver esgotadas as funções informativas do texto na própria manchete.

Como abstração temática radical (macroproposição), a manchete constrói a representação que o leitor faz do texto como um todo antes de lê-lo. As macroproposições, como resultado de uma abstração, denotam um estado ou curso de eventos como um todo, de tal maneira que os fatos que as compõem são representados em nível global. Para a lingüística do texto, a macroproposição é uma unidade intencional que corresponde ao tema ou assunto do texto. As macroproposições de uma notícia se apresentam na forma de temas que denotam fatos; não são resultado de uma característica simples da realidade, e sim da forma como o autor percebe e interpreta a realidade. Isso se dá porque, no esquema da pirâmide, o eixo de coerência do texto global será dado pelas macroproposições iniciais (manchete e *lead*). As proposições locais, os detalhes, o corpo da notícia estão hierarquicamente subordinados às macroproposições que lhe são superiores.

O jornalista, quando passa das fontes à notícia, desenvolve um processo de abstração para a construção das macroproposições manchete e *lead* e, depois, retoma as proposições locais, limitado pelos parâmetros de coerência daquelas macroproposições. Esse jogo de ida e volta faz que a volta seja ultradeterminada pelas escolhas estratégicas do caminho da ida (Van Dijk, 1988). Ele pode, a rigor, se repetir várias vezes, se o jornalista, por exemplo, deixar para o final a redação da manchete, começando o texto diretamente pela redação do *lead*.

Ou seja, a manchete, que é a última etapa de um conjunto de abstrações, é o primeiro passo da objetivação do texto. Uma vez escolhida a manchete, o *lead* e o corpo da notícia estarão por ela determinados, porque cada seqüência macroproposicional estará sempre submetida a um nível macroproposicional mais alto. Essa hierarquia garante que o texto tenha uma unidade semântica. Toda proposição que destoa da proposição que lhe é superior na escala temática provoca ruptura na unidade semântica. É fonte de incoerência e frustra o leitor.

AS MACRORREGRAS

A essa seqüência de abstrações que o jornalista percorre para passar dos detalhes recolhidos à manchete, dá-se o nome, na "lingüística de textos", de "macrorregras" (que representam intuitivamente o que se entende por resumo). Para Van Dijk, essas macrorregras são regras de projeção semântica ou transformações que relacionam macroproposições de níveis crescentemente mais altos. Busca-se, ao aplicá-las, o núcleo da informação.

O autor holandês destaca três tipos de macrorregras: a *supressão*, que elimina toda informação que não seja relevante no texto, como os detalhes locais; a *generalização*, que permite tomar uma seqüência de proposições e abstrair uma macroproposição generalizada (por exemplo, substituir a proposição "os mísseis, os aviões e os submarinos norte-americanos atacaram o Iraque" por "os armamentos americanos atacaram o Iraque") e, por fim, a *construção*, que substitui uma seqüência de proposições que denotam as condições usuais, os componentes ou as seqüências de um ato por uma macroproposição que denota o ato completo (por exemplo, "um soldado americano coloca um míssil em uma plataforma, mira Bagdad e o lança" pode ser reconstruída com a macroproposição "os Estados Unidos lançam um míssil contra o Iraque").

As macrorregras indicam um procedimento, mas não garantem que o resultado da abstração seja o mesmo, ou parecido. Apesar da existência dessas regras procedimentais (que funcionam para o jornalista de maneira mais ou menos intuitiva), a construção das sucessivas macroproposições depende de escolhas estratégicas com maior ou menor grau de consciência. O resultado macroproposicional dessas opções (redação da manchete e *lead)* não só predeterminarão o sentido do texto, como aparecerão repetitivamente no processo de detalhamento que constitui a redação da notícia.

Essa redundância se deve ao esquema textual de distribuição informativa em cascata, em ordem decrescente de importância, de forma que "cada bloco textual (cada parágrafo) possa ser intercambiável com qualquer outro ou possa constituir-se como o último da notícia" (Sanchez, 1991, p. 220). É por esse motivo que afirmamos que a pirâmide invertida é rígida, repetitiva e intercambiável.

Por que intercambiável? Quando se diz que no relato jornalístico informativo qualquer parágrafo pode funcionar como fecho[10], alude-se ao fato de que o detalhamento da notícia, condicionado pelas macroproposições que o precedem, não tem limite. Portanto, o critério para interrompê-lo quase sempre depende mais de imperativos de diagramação do que da conveniência ou oportunidade informativa. Visto que o essencial já fora aclarado nas macroproposições hierarquicamente superiores, as proposições ditas locais geralmente surgem como um melancólico tapa-buraco que poderia ser substituído por qualquer outro ou simplesmente omitido.

Em uma comparação com o relato não-jornalístico (dito relato tradicional), tem-se a impressão de que a notícia opera uma inversão: o fim é o começo. Ora, essa impressão se deve ao fato de que o relato novelesco não-jornalístico se estrutura em função de um final apoteótico (rico em significação semântica) e gerador do sentido das demais partes, enquanto o relato jornalístico se estrutura em função das macroproposições que abrem o texto.

A PREOCUPAÇÃO ESTÉTICA

Essas críticas ao relato jornalístico, tal como configurado pelas regras da objetividade informativa, ganharam maior intensidade com o surgimento do chamado *New Journalism*. Fundamentalmente, o que propunha essa nova representação do jornalismo era uma ruptura com a visão que se tinha do repórter até os anos 1970. Desde a década de 1920, as funções e os espaços do repórter e do jornalista literário eram claramente delimitados nos jornais. Ford (1958, p. 311) procurou esclarecer esses limites:

> O escritor de notícias deve limitar-se a um conjunto de fatos, a um grupo de gente. O escritor de ficção e o jornalista literário teriam mais liberdade com os fatos e com as pessoas implicadas. O repórter coleta os fatos sobre uma morte. O romancista e o jornalista literário poderiam se interessar

pelo motivo, pelas pessoas implicadas no caso, a cor emocional e as circunstâncias que o rodeiam.

Do repórter exigir-se-ia uma eficiência técnica, uma construção sistemática de textos justapostos sem valoração.

O poder de decisão na produção informativa ficava restrito à elaboração da pauta, ou seja, a um número restrito de profissionais dentro do grupo. Dos demais, esperava-se um comportamento fortemente robotizado, pouco gratificante, que, segundo Theodore Glasser (1988), rompia com o pensamento independente, mutilando o intelecto, tratando-os como espectadores desinteressados; e ia inclusive contra a idéia de responsabilidade. As notícias diárias eram vistas como algo que os jornalistas estavam obrigados a transmitir, não como algo de cuja criação eram responsáveis.

Redigir um texto informativo com maior liberdade significaria descentralizar o poder decisional na empresa, permitir ao maior número a gratificação psicológica que traz todo processo de escolha e tirar a audiência da monotonia piramidal. Liberar o estilo significaria dar ao trabalho informativo uma dimensão estética.

O novo jornalismo pouco a pouco passou a exigir do repórter uma preocupação estética com seu trabalho, transformando-o em um tipo de jornalista literário. Essa exigência, como toda ruptura, suscitou resistências: "A resolução elegante de uma reportagem era algo que ninguém sabia dar" (Wolfe, 1984, p. 21)[11]. Em análise semelhante, Jensen (1974, p. 37) retratou o sentimento do repórter diante dessas novas exigências: "Estávamos acostumados à tradição da objetividade, da reportagem fático-imparcial, com ênfase na coleta de informação, na busca e exploração das fontes e menos na redação. Não nos preocupávamos muito com o uso da variedade de técnicas expressivas. Produzíamos basicamente um tipo de estilo jornalístico convencional, que cada estudante aprende quando vai a uma escola de jornalismo".

Essa nova preocupação estética não se limitava à forma do texto, mas referia-se também à forma de apresentação do texto.

O desenvolvimento da infografia, do fotojornalismo e a introdução de outras cores visavam cativar o leitor e agilizar a recepção.

O que se chama hoje de "*zapping* impresso" permitia ao leitor a mobilidade de entrar e sair de um texto como se estivera trocando de canal em sua televisão. O conceito de *zapping* surgiu nos Estados Unidos para designar a prerrogativa que tinha um espectador de televisão de trocar de canal (ajudado pelo controle remoto) durante as inserções publicitárias. Posteriormente o conceito foi estendido para qualquer tipo de mudança de canal.

A adaptação do *zapping* à imprensa ocorreu por meio da composição dos textos em múltiplas unidades elementares (boxes, gráficos, tabelas etc.). Respeitando o imperativo de concentração informativa no início do texto, a infografia permite ao leitor "zapear" em direção a um quadro explicativo ou a um boxe sem a sensação de desinteresse pelos últimos parágrafos do texto. Esse *zapping* poderia ter o efeito de remotivar o leitor a retomar, posteriormente, ao texto.

Se, no início, buscava-se respeitar as novas necessidades decorrentes da evolução da recepção de um jornal, essa nova tendência acabou por reestruturar o campo jornalístico como espaço de competição entre profissionais, graças ao crescente prestígio dos especialistas gráficos dentro de suas empresas.

Pode-se considerar que essas novas tendências acentuam ainda mais o "esmigalhamento" da realidade, à medida que os processos seletivos, da produção do jornal até sua recepção, se justapõem.

A seleção se dá em todos os momentos da elaboração do jornal (também em função dos limites de forma), na atenção, percepção e retenção do receptor e finalmente na tecnologia utilizada, que cada vez mais apresenta ao público equipamentos que promovem a liberdade de redução da mensagem como forma de prazer. Prazer de poder construir, a partir de um conjunto de mensagens homogêneo, aquela mais adaptada às necessidades e curiosidades do receptor. O *zapping* é um antídoto contra a insatisfação, permitindo a livre circulação entre as imagens e os textos, com entradas e saídas independentes.

Esse esmigalhamento é ainda mais evidente em função dos efeitos provocados pelo "*zapping* impresso". De um lado, a justaposição de fatos diversos sem a necessidade de transições que amenizem a ruptura temática. De outro, a aceitação da descontinuidade da realidade e o privilégio dos tempos fortes, do choque, do sensacional, em detrimento dos tempos mortos, representados, justamente, pelas transições. Teríamos assim chegado à geração do *punctum*, em oposição à geração do *continuum*, já ultrapassada.

A PROPOSTA TELEO-ECOLÓGICA

A preocupação com as "conseqüências nefastas do jornalismo objetivista" e com a "maior liberdade para o repórter na execução de seu trabalho informativo" incentivou os deontólogos da comunicação a um aprofundamento das críticas iniciadas pelo *New Journalism*. Uma dessas análises é a alternativa "teleo-ecológica" da mídia elaborada pelas professoras Maria José Ruiz e Maria Del Mar Llera (1993).

Esse estudo retira o fato de sua posição de elemento central da informação. Apoiando-se nas análises de Heidegger e Jacques Derrida, as autoras denunciam a "metafísica da presença" como pensamento de reificação da verdade característico da mentalidade cientificista ocidental. O interessante, ainda segundo as autoras, não é o fato, mas quem os faz, quem os padece e quem se dá conta deles. Isso porque a recepção de uma informação se efetiva na sua compreensão *(verstehen)*, ou seja, na inclusão da existência de outros em nosso próprio horizonte existencial. A compreensão depende da comunicação, isto é, da existência de pelo menos mais um: de uma relação intersubjetiva.

Nessa apologia da subjetividade informativa, as professoras andaluzas destacam a "capacidade de cativar a audiência, de atraí-la no nível pessoal, passando da frieza de uma relação a distância, inicialmente pública, à proximidade afetiva do privado" (Ruiz e Llera, 1993, p. 148). Sublinha-se, dessa forma, a importância da personalidade do apresentador. O relato jornalístico surge como uma história, um corte no tempo e no espaço, uma experiência vital e pessoal pela qual se percebe a realidade como verdade sensível a ser transmitida em forma de mensagem. A mensagem parecerá convincente ou não menos em função de uma idéia que ela exiba com garantias de transparência conceitual, e mais em função de uma série de significados dificilmente separáveis de quem os significa.

Concluindo, podemos dizer que ideal-típica ou indesejável, modelo a seguir ou anacronismo a evitar, a objetividade parece ter percorrido o século como tema obrigatório de discussões acadêmicas, de conversas de redação, de orientação editorial e de recomendações deontológicas. Entretanto, em que medida ela afeta o receptor? Como efetivamente ela se encontra no produto mediático, produzindo efeitos sociais? Dela depende, em parte, a credibilidade do veículo; por isso, embora não exista, é preciso pelo menos que a objetividade seja aparente.

CAPÍTULO 2
A objetividade como simulacro

Se não quer que a Record noticie, não deixe acontecer.
(slogan publicitário)

A aparência, longe de ser uma coisa acessória, constitui, ao contrário, um momento essencial da essência.
(Hegel, 1964, p. 37)

"Cultura de simulacro", técnicas de "construção do verossímil" e "efeito real" são algumas expressões usadas para denunciar a "aparência de objetividade" do produto informativo veiculado pelos meios de comunicação. Esse tema ganha relevo com o aumento progressivo de fatos geradores de notícia e sua conseqüente tradução em reportagens, entrevistas e matérias informativas em geral, progressão denunciada e comprovada por R. S. Wurman (1989). Segundo os dados coletados, o número de informações disponíveis duplica a cada cinco anos. Conforme explica o autor, um exemplar ordinário do *New York Times* contém mais informações do que qualquer inglês do século XVII adquiriria em toda a sua vida.

Essa avalanche informativa só pode se dar em detrimento dos espaços opinativos dos periódicos. No Brasil, essa tendência se acentuou após 1964. A censura e o "movimento de concentração das empresas jornalísticas, acabando com os pequenos jornais políticos, contribuiu para esse fenômeno" (Barrat, 1992).

O aminguamento do jornalismo opinativo durante o periódicos de exceção não é uma especificidade brasileira. Carlos Barreira (1993), analisando as relações da imprensa espanhola com o poder político durante as sucessivas fases da ditadura franquista, observa o mesmo fenômeno. A repressão a opiniões "não gratas" desenvolveu nos diretores de jornais "um sexto sentido encarregado de captar as possíveis reações de setores políticos e militares hipersensibilizados nesta matéria".

Além do decréscimo quantitativo, observa-se nas últimas duas décadas um progressivo isolamento formal das matérias opinativas (editoriais e artigos assinados) em páginas específicas do jornal. Esse isolamento coloca em destaque a "objetividade" (aparente) dos demais artigos. Se a opinião está formalmente marcada, o restante também se torna formalmente discriminado: definir o que não é opinativo, não é subjetivamente marcado, faz existir o que é "simplesmente informativo".

Assim, cada vez mais, a imprensa escrita marca simbolicamente os textos que expressam uma opinião (individual ou do jornal), apartando-os assim dos textos ditos "informativos". No jornal *O Estado de S. Paulo*, as páginas dois e três do primeiro caderno são dedicadas a artigos assinados e editoriais, respectivamente. Não bastando o nome da personalidade que redigiu o artigo, o jornal faz questão de destacar o rosto do autor, evidenciando a subjetividade, fazendo crer na objetividade do resto marcando a ruptura simbólica entre ambos. Do mesmo modo, a *Gazeta Mercantil*, tradicional diário dedicado a temas econômicos, ilustra os textos assinados com um "bico-de-pena" ilustrando o rosto do autor. O noticiário "normal" é anônimo, sem faces.

Surgem assim dois aspectos distintos da "objetividade aparente": o primeiro refere-se à *forma* do produto mediático "informativo puro" em relação aos demais ("opinativo", "interpretativo", "publicitário") (I); o segundo diz respeito ao *conteúdo* temático do conjunto da produção mediática informativa (II).

I. A INFORMAÇÃO E A FORÇA DA FORMA

A produção jornalística é, antes de tudo, um processo ininterrupto de formalização. A objetividade aparente da informação é conseqüência dessa "racionalização" que faz crer na economia da criação e do improviso. Toda objetivação, ao exibir publicamente algo que se sentia de forma confusa, produz o efeito conseqüente de "encobrir" não só quem objetivou com que interesses e obedecendo a quais estratégias, mas também as condições sociais que permitiram a objetivação.

Sobre esse tema, Pierre Bourdieu (1987, p. 103) explica:

> A forma, a formalização e o formalismo não agem somente em função de sua eficácia específica, propriamente técnica, de esclarecimento e racionalização. Há uma eficácia propriamente simbólica da forma. A violência simbólica, cuja realização por excelência é sem dúvida o direito, é uma violência que se exerce, poderíamos dizer, nas formas e colocando formas. Colocar forma é dar a uma ação ou a um discurso a forma que é reconhecida como conveniente, legítima e aprovada, ou seja, como podemos produzir publicamente, diante de todos, uma vontade ou uma prática que, apresentada de outra maneira, seria inaceitável. A força da forma, esta *vis formae* da qual falavam os antigos, é esta força propriamente simbólica que permite à força se exercer plenamente, fazendo-se desconhecer como força e fazendo-se reconhecer, aprovar e aceitar pelo fato de se apresentar sob a aparência de universalidade, de razão ou de moral.

A forma "enquadra" toda mensagem e converte-se em mensagem, portanto. Uma poesia, um capítulo do Código Civil, um artigo publicado em uma revista especializada em física nuclear, uma crônica em um jornal, um bilhete com uma declaração amorosa, são todos textos escritos. No entanto, as diferenças formais produzirão efeitos discrepantes.

Os meios de comunicação e seus produtos podem assumir diversas formas. Se durante muito tempo só o conteúdo das mensagens mediáticas interessava aos pesquisadores, é forçoso admitir que, nas últimas quatro décadas, as formas dos meios de comunicação, suas características técnicas e seus efeitos específicos foram alvo de abundante doutrina. Assim, autores como Innis, McLuhan e Baudrillard destacaram a importância da forma na produção dos efeitos que comumente se atribui aos meios de comunicação.

Em 1950, o canadense Harold Innis (professor de economia política da Universidade de Toronto) publica *Empire and communications* e, um ano mais tarde, *The bias of communication*. Nos dois livros, analisa a importância dos meios de comunicação em diferentes modelos de sociedades. Innis procura demonstrar a influência dos meios de comunicação (eles próprios, e não suas mensagens) sobre a natureza do saber e a distribuição de poder entre os grupos sociais nas distintas civilizações. Precursor evidente das teses de McLuhan, Innis estabelece uma relação entre as características de cada civilização e os meios de comunicação por ela utilizados.

A evolução das civilizações se compreende como função dos meios de comunicação predominantes. "Se as civilizações existem por controlar o tempo e o espaço, o 'preconceito da comunicação' é a tendência espacial ou temporal dos meios que estabelece os parâmetros para a disseminação do conhecimento no tempo e no espaço" (Czitrom, 1985, p. 179). A cada civilização corresponde um contexto comunicacional caracterizado pelo monopólio de saber de um grupo que controla um meio de comunicação específico. Essas considerações serviram de pano de fundo para uma das mais instigantes e contestadas obras sobre os meios de comunicação.

Marshall McLuhan é um exemplo de autor polêmico e aceito com reservas pela comunidade científica, em função de sua postura intelectual e seu estilo. Canadense, professor de letras na Universidade de Toronto, procurou em seus trabalhos compreender a influência dos meios (eles mesmos) sobre os indivíduos e a evolução das sociedades. Por meio de especulações atrativas e servindo-se das considerações de Innis e, ainda que de forma mais tímida, de Eric Havelock, McLuhan atribui às características formais dos meios de comunicação a prerrogativa de motor da história e das organizações sociais. Ao enfatizar o papel desempenhado pelos meios de comunicação ("o meio é a mensagem"), ele relativiza a importância do conteúdo das mensagens veiculadas. Importaria para ele menos o tema tratado em um programa televisivo ou em jornal que a televisão e o jornal eles mesmos como meios de comunicação.[1]

Os aspectos técnico-formais dos meios são a mensagem porque são contundentes, produzem efeitos. Cada meio, para McLuhan, desenvolve uma faculdade física ou intelectual específica: a radiodifusão, a voz; a televisão, a visão etc. Neste ponto, McLuhan se distancia de Innis. Enquanto Innis se interessava fundamentalmente pela relação entre os meios e a organização social, McLuhan procurou focar sua análise sobre os efeitos da tecnologia, da forma dos meios de comunicação sobre os sentidos. Assim, ao fazer apelo a canais fisiológicos específicos, os meios influem no equilíbrio psicofísico de seus receptores, na personalidade dos indivíduos e na cultura em geral. Nessa perspectiva, McLuhan divide a história da humanidade em quatro etapas (oral, escrita, tipográfica e eletrônica), cada uma marcada pela predominância de um meio de comunicação específico.

Sem cair no determinismo da tecnologia, demonstraremos em que medida a objetividade aparente se manifesta na forma do jornalismo moderno por meio de textos (A) e de imagens (B).

A. O TEXTO INFORMATIVO

O texto informativo, mais que uma codificação escrita ou falada, é um gênero jornalístico que produz efeitos específicos: um tipo de expectativa e um "efeito real". Analisemos cada um desses elementos.

CONDIÇÃO INFORMATIVA

Toda codificação é um processo no qual se traduz uma mensagem em um sistema de signos. Esses signos, para serem percebidos, devem pertencer a um repertório convencional e devem manter uma organização. Codificar é reduzir o fluido, o impreciso, o disperso, a flexibilidade das fronteiras, e produzir visões claras. "A codificação torna as coisas simples, claras, comunicáveis, ela torna possível um *consensus* controlado sobre o sentido. Assegura-se dar o mesmo sentido às palavras" (Bourdieu, 1987, p. 101). Assim, o uso da linguagem implica um consenso quanto aos significados dos signos e símbolos lingüísticos.

Nesse sentido, a linguagem e a comunicação se apresentam como instrumentos privilegiados de construção da realidade social. Esta só é possível graças à interação entre os indivíduos possibilitada pela comunicação. Essa tradição, iniciada por Schutz, foi desenvolvida por Berger e Luckmann (1979), para quem "a linguagem usada na vida cotidiana proporciona continuamente as objetivações indispensáveis e dispõe a ordem dentro da qual a vida cotidiana tem significado. Dessa maneira, a linguagem marca as coordenadas de minha vida na sociedade e preenche esta vida de objetos significativos". Quanto ao nosso campo de estudo, podemos dizer que a construção da realidade social é a própria produção de sentido levada a cabo por todo o processo produtivo, desde a entrada da informação potencial e a canalização temática até a codificação e a formalização do produto informativo.

A informação jornalística quase sempre é transmitida em código lingüístico. Não está excluída a comunicação não-verbal. Quando o apresentador de um jornal televisivo sorri após transmitir uma informação, também está codificando uma mensagem. As mensagens não-verbais interagem com a palavra – os códigos lingüísticos – para reforçá-la, alterá-la ou negá-la. É nesse sentido que Paul Watzlawick e outros (1972) distinguem "conteúdo" e "relação":

> Uma mensagem, em seu aspecto de "índice", transmite uma informação; na comunicação humana, esse termo é então sinônimo de "conteúdo" da mensagem. Ele pode ter por objeto tudo o que é comunicável. O aspecto "ordem", em contrapartida, designa a maneira segundo a qual devemos entender a mensagem, ou seja, a "relação" entre os parceiros. Dizer: "isto é uma ordem" ou "eu estava brincando" são exemplos verbais dessa comunicação sobre a comunicação. A relação pode também se exprimir de maneira não-verbal, por gritos, sorrisos e uma infinidade de outras maneiras. A relação pode também se compreender perfeitamente em função do contexto onde se efetua a comunicação, por exemplo, entre soldados em uniforme ou numa pista de circo.

Não é incomum que os manualistas de jornalismo ignorem em suas lições a especificidade do texto escrito em relação ao falado e vice-versa, talvez porque o lugar ocupado pela escrita no processo de comunicação seja controverso, sobretudo quando se tenta precisar seu grau de subordinação em relação à fala.

A especificidade da codificação "texto informativo" transparece graças a um conjunto de características distintivas das demais manifestações ou "gêneros jornalísticos". O gênero informativo é um gênero jornalístico comumente ombreado pelos gêneros interpretativo e opinativo. Essa divisão foi adotada na distribuição das disciplinas pela maioria das escolas de jornalismo. Trata-se de uma tipologia clássica, repetida com sutis variantes, pela quase totalidade dos manualistas que se dedicam ao tema.

Reza a boa e sã doutrina para cursos de graduação que a principal característica do "jornalismo informativo" é a busca do fato, despido de valorações, adjetivações ou da opinião pessoal do jornalista. Como vimos, essa busca, ainda que apoiada em um conjunto de técnicas de codificação, é inócua. No entanto, o resultado obtido – a informação com aparência de objetividade – tem grande importância na persuasão. A relevância científica da "objetividade aparente" é que, embora não garanta nenhuma correspondência entre o mundo e sua notícia, produz efeitos. Com muita freqüência, especialistas em comunicação, quando indagados sobre a objetividade informativa, limitam-se a denunciar sua impossibilidade. Apesar de a objetividade "pura" ser impossível, sua aparência, decorrente do "efeito real" produzido, tem conseqüências em todo o sistema informativo.

EFEITO REAL

A objetividade aparente é característica do texto informativo, por sua estrutura, seu léxico, seus limites e também sua posição entre os demais produtos da mídia. O texto informativo, como qualquer enunciado, é um processo específico de individualização da linguagem como código de significação. Quando um jornalista redige uma matéria, materializa um processo ininterrupto de escolhas e de eliminações que acabam constituindo uma mensagem entre uma infinidade de possibilidades preteridas. Além das escolhas estritamente formais de sintaxe e léxico, opera-se uma seleção temática.

Essa seleção é um imperativo. O limite do número de toques ou de segundos é necessariamente redutor do real, de seus eventos e nexos de causalidade. Redutor de sua complexidade. Ao oferecer de forma mais ou menos consonante um conjunto limitado de temas, um "menu" temático comum, permite-se ao sujeito dominar uma realidade social simplificada.

A essa simplificação Niklas Luhmann (1975, p. 71) denomina "tecnificação do mundo da vida". A seleção temática operada pelos meios dá aos agentes sociais algo em comum para discutir. Permite, dessa forma, a interação social[2], a conversa sobre temas previamente canalizados. Quando um físico nuclear comenta com o professor de música da universidade onde trabalha sobre a contratação de um jogador polêmico pela equipe local, está interagindo em função de uma canalização prévia operada pelos meios. Se a seleção temática tivesse sido outra, provavelmente a interação entre esses dois agentes sociais dar-se-ia de outra forma, ou nem aconteceria.

Portanto, a canalização de temas é um procedimento inerente a toda atividade mediática e produz efeitos no grupo social consumidor. As distintas fases desse procedimento foram descritas por vários especialistas.

Rositi (1978) discrimina a seleção temática em três níveis distintos: o primeiro é o direito de acesso, direito a entrar no circuito informativo, participar da definição dos temas potencialmente mediatizáveis; o segundo nível é de hierarquização. Requer uma ordem de valoração temática. A repetição diária dos mesmos critérios acaba por estabelecer uma hierarquia de prioridades para as diversas classes de temas potencialmente mediatizáveis; o terceiro nível é a seleção dos grandes temas sobre os quais concentrar a atenção pública.

Os meios, entretanto, não se limitam a oferecer e impor com maior ou menor incidência esse mínimo denominador comum de temas. Oferecem também as opiniões dominantes e dominadas sobre esses temas. Sugere o ônus social de uma eventual "tomada de posição" em público. Define o custo e o benefício de qualquer manifestação no espaço público.

Oferecem as palavras a serem utilizadas para abordar os distintos temas e, a longo prazo, um universo simbólico que participaria não só da recepção dos produtos mediáticos, mas toda a percepção do real. Esse conjunto de imposições só é possível graças à especificidade do trabalho mediático, no qual a arbitrariedade das escolhas não aparece como tal para os consumidores.

De fato, a apropriação individual da linguagem – a mediação do sujeito entre o código e um enunciado específico – poderá estar mais ou menos explícita, mais ou menos evidente. A informação jornalística é apresentada como uma representação do real desmediatizada. Por permitir o acesso ao objeto, entendido como tudo o que é e acontece na realidade fenomênica, a linguagem pode produzir um maior efeito real no receptor.

A redação, como trabalho produtivo, perde, com essa desmediatização aparente, seu caráter artesanal, desenvolvido em longa atividade intelectual e coletiva. Ganha, por outro lado, em tecnicidade aparente. Não espanta que a ação jornalística seja apresentada como "um conjunto de técnicas e de códigos que se ensina" (Lemaire, 1989, p. 80). Van Dijk (1988) sistematiza as estratégias retóricas da atividade periodística, visando assegurar a objetividade aparente e a verossimilhança do texto informativo:

1. Estilo impessoal freqüentemente anônimo. O leitor desconhece o autor do texto informativo. Esse efeito de anonimato é mais perceptível quando contrastado com os traços de autoria característicos dos artigos assinados.
2. Predomínio de dados constitutivos do fato: nomes, datas, índices, cifras, horários. Simultaneamente, busca-se evitar a adjetivação, sempre denotadora de uma valoração por parte do autor.
3. Citação das fontes da informação ou da pluralidade de pontos de vista que há sobre determinado tema.
4. A utilização de uma forma (pirâmide invertida) que supostamente dá ao texto um tratamento neutro e objetivo.

Mesmo as diferenças de estilo de redação, crescentemente limitadas pelas regras de estilo impostas pelas empresas jornalísticas, representam hoje um "jogo de códigos", ou mesmo infrações "que a lógica simbólica e certos formalismos podem vislumbrar e traduzir em metalinguagem" (Granger, 1968).

Dessa forma, descobre-se no processo de codificação mediática um "sentimento de realidade" porque se cria esse sentido. Essa produção de sentido está necessariamente ligada à situação de comunicação em que ocorre a transmissão concreta ritualizada, bem como à coerência interna da construção, convertida em modelo de realidade. Este último minimiza, aos olhos do receptor, a subjetividade inerente ao trabalho de codificação. Nesse sentido, constitui-se um produto cuja oferta no mercado informativo gera expectativa por parte do consumidor.

A EXPECTATIVA DE OBJETIVIDADE

Claridade de exposição, simplicidade de estruturas, limitação léxica, velocidade de leitura e atualidade dos temas são algumas características do jornalismo informativo que justificam a objetividade aparente e produzem o efeito real, porque escondem o arbitrário das escolhas que lhes dão origem. O efeito real, como ilusão de real causada pelo trabalho de formação simbólica, será tanto mais perceptível quanto menos evidente for a mediação do autor enunciado. Essas características e efeitos ritualizados no consumo acabam por produzir um conjunto de expectativas no receptor que, por sua vez, (re)determinarão o permanente processo seletivo da produção mediática.

Qualquer escolha – seja ela temática, sintáxica ou léxica – será entendida como óbvia, portanto não-aparente, quanto mais ela representar uma solução esperada pelo receptor. Ou seja, a subjetividade da produção mediática, como interface entre a linguagem e o enunciado, será tanto mais explícita quanto maior for a ruptura com a expectativa do receptor.

A aparência de objetividade ritualizada – em algum produto mediático ou em um segmento específico deste – gera no receptor um conjunto de expectativas. Entre elas a de que as regras da objetividade sejam mantidas. Constata-se assim a existência de um acordo tácito entre produtor e consumidor, fundado numa delegação de poderes cujo principal controle é o consumo, habitualmente denominado "pacto de leitura". São regras de um acordo cuja codificação assume sua forma mais acabada com os manuais de redação e estilo.

Admitamos que um jornal diário consagre durante anos quatro páginas específicas para informações internacionais. Essa produção ritualizada gera uma expectativa de manutenção dessas distribuição e localização informativas por parte do leitor. No caso de ruptura, de alteração súbita dessa norma, o produtor mediático informativo quebra seu próprio anonimato. Denuncia a possibilidade de fazer diferente. Que o jornal sempre pode ser outro. Que há deliberação ininterrupta. E, portanto, responsabilidade.

Da mesma forma, veracidade informativa gera expectativa de continuidade e credibilidade. Em caso de frustração, a credibilidade entra em processo de erosão. É o que bem ilustra o caso de Janet Cooke[3], premiada com o Pulitzer de 1981 por uma reportagem informativa totalmente inventada. A jovem jornalista do *Washington Post* publicou o retrato dramático de "Jimmy", um garoto de 8 anos viciado em heroína por incentivo do próprio padrasto, um narcotraficante. O relato sensibilizou a polícia de Washington, que exigiu a verdadeira identidade da família. Pressionada, a repórter alegou risco de vida para a fonte, ao mesmo tempo em que concorreu ao Pulitzer. Depois da conquista do prêmio, foram levantadas suspeitas de que o conteúdo de seu relato seria falso. Para evitar uma longa investigação policial, Cooke confessou aos editores do *Washington Post* que a história de Jimmy fora fabricada com base em depoimentos coletados de assistentes sociais que testemunhavam essa realidade. A ficção torna-se pesadelo para a jornalista, que se vê obrigada a devolver o prêmio. O jornal tem sua reputação abalada. Tentando minimizar o descrédito, o *ombudsman* do jornal publicou uma explicação de cinco páginas sobre o caso.

Outra expectativa gerada pela recepção ritualizada da mídia é a da atualidade temática. Atualidade e expectativa de atualidade decorrem da própria lógica concorrencial do campo jornalístico como espaço social produtor de um bem efêmero e perecível como a notícia. Como explica o professor Miguel Urabayen (1993),

> a referência à atualidade, implícita no termo *notícia*, se estende igualmente aos outros componentes do "que" informativo. Assim, os dados não podem ser quaisquer, deverão estar relacionados com o momento

atual. Os índices da bolsa, as temperaturas em diversas cidades, a chegada e saída de barcos e outras informações semelhantes só são jornalísticas se se referirem ao presente imediato, quer porque correspondem aos dias da publicação que o trata, quer por estarem relacionados (comparativamente, por exemplo) com eles. Os dados que não são atuais não interessam à informação jornalística, pertencem à história, seja geral ou de aspectos determinados.

O processo tecnológico e os imperativos econômicos forçaram uma agilização da produção informativa que permite ao jornalista trabalhar em "tempo real", ou seja, não só como testemunha, mas também como ator dos acontecimentos. A cobertura informativa deixa de ser simplesmente um registro de fatos passados e passa a agir sobre os fatos que estaria adstrita a relatar. A cobertura de uma guerra, por exemplo, tem efeitos sobre seu desenrolar e acaba integrando-se à própria guerra como objeto de luta. A atualidade, assim, passa a ser elemento central na competição a que se entregam os atores jornalísticos dentro de seu campo. Assim explica Pierre Bourdieu (1994, p. 5):

> [No campo mediático] a concorrência pela clientela tende a assumir a forma de uma concorrência pela prioridade, ou seja, pelas notícias mais novas (o furo de reportagem). A coação do mercado só se exerce por intermédio do efeito de campo: com efeito, muitos desses furos, que são buscados e apreciados como armas na conquista da clientela, acabam por ser ignorados pelos leitores ou espectadores e por ser percebidos apenas pelos concorrentes (os jornalistas são os únicos a ler o conjunto dos jornais). Inscrita na estrutura e nos mecanismos do campo, a concorrência pela prioridade chama e favorece os agentes dotados de disposições profissionais destinadas a colocar toda a prática jornalística sob o signo da velocidade (ou da precipitação) e da renovação permanente. Disposições permanentemente reforçadas pela temporalidade da prática jornalística que, obrigando a viver e a pensar o dia-a-dia e a valorizar uma informação em função de sua atualidade, favorece uma espécie de

> amnésia permanente, que é o lado negativo da exaltação da novidade e também uma propensão a julgar os produtores e os produtos em função da oposição entre o novo e o ultrapassado.

A contemporaneidade do tema em relação ao produto começa a justificar sua presença e, de certa forma, ajuda a camuflar o processo arbitrário de seleção. Para o receptor o tema foi abordado, entre outras razões, porque é atual e não porque foi escolhido pelo editor entre outros temas atuais possíveis. A mediatização de um tema não-atual, por romper com a expectativa de atualidade do receptor, teria de ser expressamente justificada, trazendo à luz a escolha.

Se a recepção mediática ritualizada gera um conjunto de expectativas ligadas à objetividade aparente, não se pode esquecer que outros tipos de expectativas também são estruturados em função da mesma recepção. A leitura diária de um comentário assinado por algum articulista ou colunista pode ser a principal motivação da aquisição e leitura do jornal.

A construção do valor social de uma coluna, diferentemente da "informação pura", onde o anonimato do autor é regra e condição dos efeitos da produção, depende da legitimidade do colunista e, portanto, da posição por ele ocupada no subcampo das grifes jornalísticas. Isso porque a crença no valor de qualquer manifestação cultural depende da aceitação tácita de uma "ideologia carismática" que, por essa razão, está na origem do funcionamento da produção e circulação de bens culturais. Dessa forma, podemos dizer que uma "coluna bem-sucedida" depende de um ajuste de pressuposições (do receptor) às posições (do jornal) ocupadas por este ou aquele profissional.

A cada forma de produção cultural explícita, como a jornalística, em que a legitimidade do autor participa da construção do valor social da obra, corresponde um segmento no campo do consumo. Esse efeito de homologia faz que haja uma adequação objetiva entre a posição de um determinado colunista no espaço de produção mediática e a posição de seus leitores no espaço social. A adequação entre a posição do veículo (em relação aos demais) no campo mediático e um segmento de público que constitui permanentemente sua audiência também não é negligenciável. Como afirma Bourdieu (1977, p. 22), "a cada posição correspondem pressuposições, uma *dóxa*, e a homologia das posições ocupadas pelos produtores e seus clientes é a condição dessa cumplicidade".

Diante do que expusemos, e da diversidade de regras sociológicas necessárias para compreender o conjunto de mecanismos não aparentes que caracterizam as múltiplas relações de um jornal com seu leitor, podemos concluir que, longe de se tratar de um produto homogêneo quanto às expectativas que produz, o jornal é multiestruturado e multiestruturante. E, em função disso, expectativa, adesão, dependência e persuasão são apenas algumas das fases dessa interação.

OBJETIVIDADE APARENTE E PERSUASÃO

Como já dissemos anteriormente, elementos formais e de conteúdo do produto mediático informativo fazem crer na ausência aparente do autor-codificador, que faz crer na objetividade aparente, que, por sua vez, faz crer na mídia como "espelho" da realidade, e assim sucessivamente.

Quando falamos em objetividade aparente, automaticamente falamos em crença, em adesão àquilo que não é, ou pelo menos do que pode não ser. Estamos, portanto, diante de um dos muitos momentos em que se opera um "ilusionismo social". A adesão, por parte de um interlocutor, a idéias face à argumentação de um certo porta-voz é preocupação da tradição filosófica. É também objeto das teorias da comunicação. Não nos cabe aqui fazer um balanço da maior ou menor acuidade das distintas teorias. A literatura é vastíssima e a mera menção das principais teses nos distanciaria de nossa preocupação central. Iremos do mais genérico ao mais específico, isto é, do estudo da crença em geral à especificidade da persuasão operada pelos meios de comunicação.

Três "pais fundadores" da sociologia (Durkheim, Weber e Pareto) manifestaram-se sobre o tema[4]. Com base nesse marco teórico e nas contribuições da retórica moderna, Raymond Boudon (1990) elaborou uma interessante tipologia sobre as teorias explicativa das crenças.

As teorias de tipo 1, representadas pelo pensamento de Durkheim, Weber e Popper, justificam a crença pela razão. São aquelas que vêem nas razões que o sujeito dá ou pode ter para crer no enunciado *y* a causa em sua crença em *y*. Em contrapartida, há outras explicações (de tipo 2) que não têm como causa a razão e sim a paixão, a emoção ou a vontade (tipo 2a). Estão presentes, entre outros, nas obras de La Rochefoucauld ("*l'esprit est toujours la dupe du coeur*") e de Pascal, que afirma:

> Ninguém ignora que há duas entradas por onde as opiniões são recebidas na alma, que são duas principais forças, o entendimento e a vontade. A mais natural é a do entendimento, uma vez que só deveríamos consentir às verdades demonstradas; mas a mais comum, ainda que contra a natureza, é a da vontade; isso porque os homens são quase sempre levados a crer não pela prova, mas pela aquiescência.

Pascal deixa claro que as explicações das crenças como decorrentes de paixões, da "vontade", são pouco aceitas como tal. Representaria um grande ônus social romper com o racionalismo dominante e assumir a paixão como causa do entendimento. Em função disso, buscam-se razões que legitimem as crenças, ainda que tenham uma simples função de cobertura.

Boudon distingue, entre as teorias de tipo 2 (causas = não-razões), o modelo de Pascal-La Rochefoucauld (causas afetivas, tipo 2a) daquelas explicações fundadas em causas não-racionais e não-afetivas (tipo 2b). Entre estas, destaca-se a explicação de Lévy-Bruhl (1960). Em *La mentalité primitive*, ele procura explicar a causa da crença dos "primitivos" na magia por meio de sua organização mental própria. Qualquer mecanismo de compreensão de comportamento deve levar em consideração a especificidades do universo social considerado com seus traços culturais.

Para Pareto, como para Pascal, observa Boudon, só podem convencer os argumentos que seriam admitidos em uma discussão científica. Os outros, por exemplo a crença nos mágicos, são argumentos superficiais sem nenhuma influência sobre as crenças. Boudon contrasta essa posição com as teorias de dois precursores da retórica que, pela própria natureza, não podem ser tratados de forma demonstrativa. Não que esses argumentos tenham força de convicção. "Esses argumentos fazem emergir razões que talvez não sejam fundadas objetivamente, mas que exercem uma real influência causal sobre as crenças do locutor ou de seu auditório" (Boudon, 1990, p. 49).

Essa tipologia (que fez lembrar os três ideais-tipos de legitimação de Max Weber) não só nos permite situar uma grande parte das teorias explicativas das crenças de maneira referencial (umas em relação às outras), como também nos dá conta de sua complementaridade para o estudo de um caso específico como o dos meios de comunicação. Parece inquestionável que esses clássicos deixaram sua marca, sobretudo epistemologicamente. A doutrina sobre persuasão mediática lhes é decididamente devedora.

O tema da persuasão é central para o estudo da mídia. Não é difícil entender o porquê. Quando se produz um anúncio de extrato de tomate, uma campanha para o uso de preservativos ou um editorial, visa-se produzir algum tipo de adesão por parte do receptor e, portanto, uma mudança. Os primeiros estudos sistemáticos sobre persuasão nos meios de comunicação foram realizados, durante o período que precedeu a Segunda Guerra Mundial, pelo Institute for Propaganda Analysis. Ainda em função da guerra, o psicológico Carl Hovland, membro da US Army's Information and Education Division, chefiou talvez o primeiro estudo científico sobre mudança de atitude (*attitude change*) com base em campanha mediática.

O conceito de atitude teve importância decisiva para todo o desenvolvimento da psicologia social. Gabriel Allport (1954) observa que esse conceito veio substituir outros como "instinto", "costume", "força social" e "sentimento", de contornos fluidos e pouco úteis cientificamente. A primeira definição de atitude foi formulada por Thomas e Znaniecki (1927, p. 22): "Por atitude entendemos um processo de consciência individual que determina atividade real ou possível do indivíduo no mundo social". Essa definição difere pouco das que lhe seguiram: a de Murphy, Murphy e Newcomb (1937), a de Allport (1954) e a de Krech, Crutchfield e Ballachey (1962). Para Rosenberg e Hovland (1960), a definição de atitude deve necessariamente fazer alusão a três elementos: um componente afetivo (avaliação ou sentimento de algo), um componente cognitivo (percepção) e um componente comportamental (as ações).

Revisando a evolução da literatura sobre a persuasão na mídia, observa-se desde os primeiros estudos uma concentração de análises de publicidade, propaganda e produtos ficcionais (a curto, médio e longo prazos de exposição). Entretanto, a chamada persuasão informativa só mais recentemente tem sido alvo de tratamento científico.

Ao analisar a persuasão de um produto jornalístico, os teóricos compreensivelmente centraram suas análises nos segmentos que visavam explicitamente a adesão a um ponto de vista ou a uma idéia. Assim, os editoriais, os artigos assinados e sobretudo anúncios publicitários mereceram exaustivas análises de conteúdo e conseqüentes alterações de visão de mundo, de comportamento etc. A "informação pura", por se tratar de "um mero reflexo da realidade", era entendida como sendo neutra, imparcial.

Entretanto, se essa aparência de objetividade relativiza indevidamente o papel da ética no trabalho mediático, ela contribui em grande parte para a persuasão diária operada pelos meios. A aparência de objetividade, por esconder o arbitrário que se encontra na origem de toda produção mediática, acaba por impor, com a aquiescência tácita do leitor, a parte (seleção arbitrária e indispensável de temas) pelo todo (realidade fenomênica). Nesse sentido, a publicidade da Radio Nacional de España é exemplar:

> Ni más, ni menos. Las noticias como son. Si quieres conocer *todo lo que pasa en España y en el mundo, con el más absoluto rigor*, sintoniza cada día los programas informativos de Radio 1. Grandes profesionales trabajando duro, para oferecerte siempre noticias sin deformaciones ni exageraciones. Sin aumentos ni disminuiciones. Sin distorsiones ni maquillajes. Noticias fiables, veraces y debidamente contrastadas. Tal y como son.[5]

A mídia constrói um mundo objetivo que, por se impor como o "real de todos", não é subjetivamente o "real de ninguém", impondo-se a todos pela força da violência simbólica que caracteriza a objetividade aparente. Se a eficácia simbólica das palavras só se exerce quando o receptor reconhece o emissor como legítimo, a legitimidade do texto jornalístico advém de um reconhecimento de legitimidade outorgado à empresa jornalística para que informe. Opera-se um rito de instituição temático que consagra ou legitima um fato como mediático, ou seja, mediaticamente abordável. Quando, numa reunião de pauta, um tema é escolhido em detrimento de outro, estabelece-se um dentro e um fora: em um ato de "magia social", discrimina-se os eleitos dos preteridos.

Poderíamos inferir, adaptando ao campo da produção jornalística as considerações de Habermas (1978) e Bourdieu (1982), que a legitimidade jornalística fundada em sua aparente objetividade será tanto maior quanto menos perceptível for a arbitrariedade que está na origem de toda produção mediática. Na mesma linha, comenta Francisco Sanchez (1989, p. 576):

> [...] os procedimentos que usa o jornalista para conseguir o "*balance*", o equilíbrio (necessários para alcançar a "objetividade" em suas informa-

> ções), não passam de meros recursos de verossimilhanças; buscam apenas ocultar a presença do jornalista. A atribuição a terceiros das próprias opiniões, ou o uso de opiniões alheias para referendar as próprias, o recurso às regras de impessoalidade (texto sem assinatura, redação anônima etc.) só visam encobrir a mediação. Com esses procedimentos se constrói a parte "intocável" e "sagrada" do jornal. As seções informativas constituem uma realidade na qual o leitor deve crer, uma vez que lhe é proporcionada como se fosse a realidade. Não só se lhe permite avaliar as "boas razões", como também se outorga caráter de evidência ao que é pura mediação.

Jacques Ellul (1988, p. 5) menciona o "efeito de realidade" específico à mídia televisiva, que reforça a crença na objetividade do produto mediático: "Quando o telespectador assiste à formação de uma confusão na rua, ele assume a mentalidade de um partícipe desse evento tomando por vezes partido contra o lado mais bem armado..."

Assim, quando se pretende reduzir os efeitos nefastos da imprensa às matérias que visam a imposição de uma certa representação do real de maneira explícita (que buscam o convencimento parcial), restringindo-se a esses casos a importância de filtros de ordem ética, esquece-se que, quanto menos claramente subjetivo for o produto, mais eficaz ele será na construção da realidade social. Isso porque o leitor, ouvinte ou telespectador, diante de uma matéria aparentemente neutra e informativa, se despirá de seus filtros valorativos (que contrastam sua própria opinião com a de outros, concordando ou não). Ele estará mais inclinado a aceitar sem resistência o que lhe dita a mídia, por desconhecer a realidade fenomênica tratada e não ter nenhum registro sobre ela. O produto mediático desprovido de opinião explícita terá menor probabilidade de provocar dissonância cognitiva[6].

Dessa forma, os filtros seletivos que caracterizam a recepção de um produto mediático (como a exposição, a atenção, a percepção e a retenção seletivas) a tornarão muito mais vulnerável a todos os elementos do produto mediático do que se nele houvessem tomadas de posição e julgamentos valorativos explícitos. Diante desses argumentos, a valoração ética no jornalismo dito "puramente informativo" ganha relevo e importância indiscutíveis.

A aparência de objetividade do texto informativo, seja ele escrito ou falado, é acompanhada da imagem (fotojornalística e televisiva).

B. A IMAGEM INFORMATIVA

O estudo da imagem ("iconologia") é dos mais áridos dentro da "comunicação". Os aspectos gerais deste tema só nos interessarão na medida em que forem indispensáveis para a compreensão da imagem informativa e seus efeitos.

Nenhum elemento informativo pode ter maior aparência de objetividade (ilusão ou simulacro do real) que a imagem. Associada ou não ao texto informativo, "a imagem tende a apagar o sujeito. Ela exige uma apresentação direta, exige que a recebamos como objeto soberano; ela fornece o material e a forma como dados inevitáveis. Sua duplicação, sua visibilidade, sua transparência são trunfos centrais" (Gauthier, 1993, p. 8). Essa aparência de objetividade decorre da sua relação com o espectador (do tipo de recepção que ela enseja) e a sua relação com o real.

RELAÇÃO IMAGEM-RECEPTOR

O receptor de uma imagem *reconhece*, isto é, identifica os pontos coincidentes entre a imagem e o real. Isso porque a base de nossa apreensão do mundo visual não se altera quando percebemos uma imagem. A "constância perceptiva", que nos permite atribuir qualidades constantes ao real, suas coisas e seus espaço, é, para Gombrich (1983), uma comparação ininterrupta que fazemos entre o que vemos e o que já vimos, um processo apoiado parcialmente na memória, em uma reserva de formas e disposições mentais memorizadas. A essas observações, que fazem do fotojornalismo instrumento poderoso de construção da objetividade aparente, acrescentam-se duas novas dimensões aplicáveis ao telejornalismo: a "imagem-tempo" e a "imagem-movimento"[7] .

IMAGEM-TEMPO

Da mesma forma que o texto informativo, a imagem satisfaz e gera exigências, estrutura expectativas, em que contemporaneidade e rapidez se traduzem na imediaticidade das transmissões televisivas "ao vivo". A informação, tão aparentemente imediata e próxima, satisfaz um desejo de saber sobre o maior número de ocorrências possível da realidade fenomênica no menor espaço de tempo.

Na televisão a imagem sufoca a análise, o choque condiciona e participa da construção mental; a percepção transforma a vista em órgão de compreensão, dá ao olhar uma mobilidade constante, bloqueando a reflexão e a inteligibilidade, supervaloriza a hipótese visual, dispensando demonstração, porque se dirige ao receptor sob o tom da evidência e da assertividade.

A imagem televisiva produz uma ilusão temporal. As imagens serão mais ou menos temporalizadas segundo representem com maior ou menor acuidade o tempo. Hugo Miller e Soledad Puente (1989, p. 9) observam que "o tempo na televisão é muito mais real que o tempo no cinema". Essa aproximação da televisão com a informação e do cinema com a ficção não nos parece particularmente feliz. Nada impede a produção de um documentário informativo no cinema e de ficção na televisão. A rigor, o que se pretende distinguir é entre o tempo ficcional (seja ele cinematográfico ou televisivo) e o tempo informativo. Em ambos não há coincidência entre o tempo do fato e o tempo imagético.

A razão é que, em ambos, há uma representação simbólica convencional que omite momentos julgados irrelevantes e superdimensiona outros, fundamentais para o desenvolvimento da mensagem. A diferença é que, enquanto o tempo cinematográfico é reelaborado no sentido da expressividade ficcional, cada unidade de notícia, ou reportagem informativa, representa o real também porque representa (com as limitações próprias ao meio) o tempo em que o real transcorreu ou transcorre. Representar o tempo com acuidade significa mostrar sucessivos estados seqüenciados, uma dinâmica, um movimento.

IMAGEM-MOVIMENTO

Christian Metz (1965, p. 79-81), ao falar da "impressão da realidade" no cinema, explica a existência de indicadores perceptivos e psicológicos de realidade, além dos já presentes na fotografia, e acrescenta o fator essencial do movimento aparente:

> A conjunção da realidade do movimento e da aparência leva ao sentimento da vida concreta e à percepção da realidade objetiva. As formas fornecem sua "armadura" objetivada ao movimento e este último dá corpo às formas. Os espetáculos da vida real são móveis. O movimento dá aos objetos uma corporalidade e uma autonomia que eram impossíveis em suas esfinges imóveis. Liberado de seu suporte, o objeto se substancializa, o movimento traz o relevo e o relevo traz a vida.

O movimento na imagem traz consigo não só um índice de realidade suplementar, mas também uma corporalidade dos objetos, por dar à aparência das formas um "aspecto" de realidade. O movimento contribui para a expressão da realidade de forma indireta, dando corpo aos objetos, e de forma direta, uma vez que aparece ele mesmo como "movimento real". O movimento, ainda de acordo com Metz, quando percebido, é sempre percebido como real, conferindo à imagem um poder de convicção inédito.

O conhecido manual de jornalismo televisivo *Television news*, de Irwing Fang (1977, p. 191), imputa ao "movimento" a causa principal da audiência de informação televisiva:

> As pessoas vêem notícias por televisão, em grande parte, porque elas trazem a sua casa fatos em ação. Vemos e ouvimos o rugido dos canhões

> navais, um avião de guerra que se abate sobre seu alvo, um soldado patrulheiro que avança com cautela. Vemos uma manifestação, um desfile. Seguimos a polícia quando busca uma criança perdida ou quando abre passagem entre os escombros de um avião de passageiros. Ouvimos e observamos os momentos culminantes de um discurso, de uma partida de futebol.

Essa relação da imagem com o receptor da informação depende obviamente da capacidade que tem a primeira de mostrar ao segundo o que ocorreu ou está ocorrendo. O telespectador busca gratificações psicológicas, e encontra parte delas na necessidade, socialmente construída, de consumir o real da mídia.

RELAÇÃO IMAGEM-REAL

A imagem informativa, por mais que se argumente ao contrário, ainda guarda íntima e estreita ligação com o real. Por ser hoje o principal instrumento mediático de informação, a imagem permite aos seus receptores, de forma ritualizada, conhecer um real inacessível. Embora não-coincidentes, imagem informativa e real tendem à coincidência. Tal como uma assíntota, a imagem se aproxima progressivamente da realidade (nunca tocando-a), sendo dela sempre dependente. A imposição simbólica de uma pela outra será tanto mais eficaz quanto mais estiver objetivada em um *continuum* de discrepâncias imperceptíveis.

Um bom número de características visuais do real se repete na imagem: proporções de tamanho, cores, campos visuais etc. Além dessas coincidências, incide sobre a imagem informativa (fixa e móvel) o princípio da "dupla realidade perceptiva". Esse princípio explica um fenômeno psicológico central na percepção da imagem: percebemos simultaneamente a imagem como um fragmento de superfície plana e como um fragmento de espaço tridimensional.

O princípio da dupla realidade perceptiva, naturalmente, não garante fidelidade absoluta. Há perda de informação por compressão. A perspectiva assegura a profundidade, mas não elimina sua ambigüidade. A mesma perspectiva poderá ser geometricamente a imagem de *n* objetos que tenham a mesma projeção. O reconhecimento dos objetos representados só é possível em função de uma aproximação perceptiva fundada "no mais provável" entre as infinitas possibilidades. Diz-se que a percepção correta da perspectiva é regida pelo "princípio da maior probabilidade" (Aumont, 1990, p. 69-70).

A perda eventual de informação decorrente da "dupla realidade" é amplamente compensada pela "hipótese da compensação do ponto de vista". Para seu propositor, Maurice Pirenne (1970), a concomitância do registro em duas dimensões (2-D) e em três dimensões (3-D) permite precisar o ponto de vista correto sobre a imagem e corrigir as distorções retinianas engendradas por um ponto de vista incorreto. "O fato de perceber a imagem em uma superfície plana possibilita uma percepção mais eficaz da terceira dimensão imaginária representada na imagem" (Aumont, 1990, p. 67).

Observe-se que a análise dos aspectos técnicos de plano, luz, distância, ângulo, perspectiva, pirâmide ocular etc., que possibilitam essa representação do real, nos ensejaria longos parênteses que nos distanciariam do tema. Por exemplo: a naturalidade das imagens dependerá da coincidência entre o ângulo da câmera e o ângulo de visão do telespectador. Da mesma forma, o foco em primeiro plano, utilizado para as imagens do apresentador dos jornais televisivos, visa conseguir a maior naturalidade icônica dentro do ambiente domiciliar, onde o tamanho e as proporções relativas dos outros receptores é a referência a ser respeitada. O ângulo será ainda menor quando, por exemplo, em um ato político protocolar, por razões de segurança, a câmera é obrigada a um distanciamento considerável dos centros de interesse.

Os efeitos de real foram colocados em evidência por André Bazin (1953). Partindo fundamentalmente de filmes de Orson Welles e William Wyler, Bazin atribuía à "planificação em profundidade" (profundidade de campo e planos longos) e ao enfoque neo-realista do cinema os meios e símbolos da "vocação realista do cinema". Enfatizando a dimensão analógica da imagem e o poder absoluto do natural ("*toute puissance du naturel*") por ela representado, tornaram-se conhecidas duas definições: "impressora do real" ou "linguagem de objetos". Em seu artigo mais citado, Bazin (1975) dimensiona o poder ilusório da imagem fílmica:

> [...] a pintura ficou dividida entre duas aspirações: uma propriamente estética (a expressão das realidades espirituais nas quais o modelo se encontra transcendido pelo simbolismo das formas) e outra que é apenas um desejo completamente psicológico de substituir o mundo por sua réplica. Ao crescer rapidamente com sua própria satisfação, essa necessidade de ilusão devorou pouco a pouco as artes plásticas.

Seria exagerado, no entanto, falar de um ontologismo radical em Bazin, ou seja, de uma coincidência total entre o cinema e a realidade. Essa era a denúncia de seus principais críticos, como se ele atribuísse à imagem fílmica o estatuto ontológico da coisa real. Para ele, a pretensão de um cinema total, em que se conseguisse a reprodução exata da realidade, foi o ideal que impulsionou os pioneiros a inventar o cinema, mas que é, em si, um mito, "o mito do realismo integral".

A rigor, as críticas a Bazin eram ideológicas. O que se discutia era o próprio papel do cinema na sociedade. Para aqueles que consideram o cinema um elemento importante da "superestrutura" social, um atuante "aparelho ideológico de Estado", um instrumento de dominação simbólica (de classe), Bazin minimizava exageradamente a dimensão manipuladora da reprodução cinematográfica, legitimizadora de uma situação de dominação e de um modo de vida dominante. Ao aproximar o cinema da realidade, ele estaria imputando à produção cinematográfica uma relativa neutralidade social. Um dos principais críticos e, conseqüentemente, analistas da obra de Bazin foi Jean Pierre Oudart.

Tomando ainda por referência a imagem cinematográfica, Oudart (1971) estabeleceu a distinção entre "efeito de realidade" e "efeito de real". O primeiro designa o efeito produzido em função dos indicadores de analogia entre a imagem e o real. Trata-se de uma reação do receptor, uma manifestação da ilusão produzida pela imagem. Por outro lado, o "efeito de real" induz o receptor a um "juízo de existência" (com base no efeito de realidade), atribuindo-lhe um referente no real. A rigor, são dois efeitos cronologicamente seqüenciados. O segundo, claramente, depende da incidência do primeiro. Embora a linha divisória entre ambos não esteja claramente traçada, passa-se de uma constatação perceptiva (efeito de realidade) a um autoconvencimento (efeito de real), no qual o receptor crê que o que vê é o real.

Segundo Oudart (1971, p. 19),

> podemos dizer que no sistema representativo da pintura ocidental, como no do cinema que o perpetua, são simultaneamente desconhecidos: (1) a figuração (nós diremos efeito de realidade), como produto de códigos picturais específicos e (2) a representação que a constitui como ficção, nela incluindo o espectador (nós diremos efeito de real). "Efeito de real" e "efeito de realidade" são, aliás, estritamente correlativos, na inscrição da figuração pictural da Renascença ao século XIX, e dão a essa figuração um estatuto que ela nunca tinha tido antes, na medida em que designam as figuras como tendo na realidade seu referente.

Centrando suas análises na imagem informativa da televisão, Lorenzo Vilches (1988) denuncia, por sua vez, uma espetacularização do "efeito de realidade" na informação televisiva. Esse efeito vai mais além da "semelhança" entre objetos e sua imagem. Depende de permanentes indicações espaciais, implícitas ou explícitas, na própria informação. Vilches também destaca que os apresentadores de televisão (em função da familiaridade com os telespectadores, decorrente da recepção ritualizada) acabam se tornando íntimos conhecidos de quem os assiste.

O funcionamento espetacular da informação televisiva, ainda segundo Vilches, produz um discurso retórico que se manifesta sobretudo por meio de "marcos de representação da imagem", produzindo assim efeitos persuasivos. Esse discurso produz de forma aparente e manifesta um ajuste entre causas e conseqüências, lugares e tempos, fatos e atores. Simultaneamente, no entanto, a informação televisiva (com seu discurso da "realidade espetacularizada") produz uma "ruptura na norma de equilíbrio entre os elementos que formam o discurso informativo" (Vilches, 1988, p. 179).

Se fosse possível sintetizar as idéias desses teóricos da imagem, arriscaríamos dizer que, para eles, a informação televisiva visa maximizar a gratificação psicológica do telespectador oferecendo-lhe, de um lado, a segurança da objetividade aparente da notícia, que lhe dá legitimação racional da recepção de seus produtos, e, de outro, o espetáculo deformante da codificação oculta (em imagem, som e texto), que lhe proporciona o prazer da ruptura socialmente aceita.

Assim, a objetividade aparente dos produtos informativos legitima o ato da recepção, conferindo-lhe racionalidade e aceitação social. No entanto, seria impossível crer e fazer crer num real mediatizado se cada veículo oferecesse a seus consumidores temas distintos e dissonantes. Por isso, a aparência de objetividade depende também de uma relativa harmonia temática na oferta informativa.

II. OBJETIVIDADE APARENTE E CONTEÚDO

A aparência de objetividade é reforçada pelo conteúdo temático do produto mediático. De um lado, em função da coerência interna dos elementos que compõem o texto (A), de outro, em razão da "consonância" (abordagem relativamente uniforme do mesmo tema pelos diversos veículos) e da coincidência na escolha dos fatos geradores (B).

A. OS ELEMENTOS DA NOTÍCIA

O profissional da imprensa aprende, ainda na faculdade, as perguntas que devem ser respondidas por uma matéria "puramente informativa": o quê?, quem?, quando?, onde?, por quê?, como? Esses elementos fazem crer que a reportagem será uma descrição pura e simples da realidade fenomênica, dos acontecimentos. Quanto mais restrito a essas respostas estiver o artigo, mais próximo ele estará, em sua aparência, do fato.

Pedro Lozano (1974) justifica e detalha esses elementos internos à "notícia" (em função da rígida observância dos ditames da análise sistêmica) e acrescenta a eles alguns "elementos externos". Trata-se de uma aplicação da análise sistêmica à informação.

Aproximando-se da aplicação da teoria dos sistemas para a política feita por David Easton, Lozano preocupa-se com a elaboração da notícia num contexto social mais amplo. A vantagem, em Lozano, é que o processo de elaboração da notícia (interno às empresas de comunicação) também é estudado, enquanto na construção eastoniana o processo que leva à tomada de "decisões" e "ações" escapa à análise por estar na "caixa negra".

O elemento "o quê?" adquire, segundo Lozano, especial importância quando as notícias são procedentes de fontes emissoras distantes e estranhas ao hábitat do receptor. Acrescentamos que o detalhamento de "o quê?", nesses casos, aproxima o ambiente do fato gerador, minimiza a frustração da ruptura, pasteuriza a diversidade e faz crer na objetividade pela aproximação referencial.

A essa adaptação operada pela notícia soma-se um encurtamento de distâncias e uma aproximação temporal. Dessa forma, os elementos "onde" e "quando" permitem a superação de uma distância real (em quilômetros e em horas ou segundos) por outra fictícia (mediaticamente imposta). Nesse sentido, a notícia, mormente a internacional, permite e faz integrar um indivíduo ou sistemas situados (em tempo e espaço) com outro indivíduo ou sistema situados em um ponto ou época distintos.

A proximidade ou não de uma notícia deixa de ser real para ser funcional. Os meios constroem assim um "espaço informativo" cujas distâncias (aproximações e distanciamentos) dependem fortemente do interesse que tem o tema para o receptor (preocupação manifesta) e para o emissor (por conveniências editoriais variadas). Assegura-se, portanto, a objetividade aparente por um tipo de aproximação geográfica e temporal editorialmente interessada.

Dizer "por quê" é apontar causas e satisfazer necessidades psicológicas primárias do receptor. Explicar "por quê" legitima a seleção do fato (esconde o "arbitrário" da exclusão de outros). Essa legitimação será tanto mais eficaz quanto mais evidente for a relação do fato escolhido com o "universo presente" do grupo receptor. Por essa razão, dar "o porquê" do fato é fazer crer na objetividade aparente, garantindo de forma axiológica a coerência interna do texto.

Um fato informativo sempre é composto por uma série de acontecimentos integrados, interdependentes e seqüenciados cronologicamente. Explicar "como" ocorreu o fato é dar parte dessa evolução; é construir a objetividade aparente por imprimir uma dinâmica, fazendo crer e fazendo representar uma ação, um movimento. Movimento e dinâmica fazem pensar em uma força agente, em um protagonista da notícia. A notícia objetiviza seus atores, cria e impõe estereótipos, faz coincidir com estereótipos (já impostos) e, portanto, produz a objetividade aparente porque atribui ao agente um caráter exemplar, "universaliza ao convertê-lo em ponto de referência" (Lozano, 1974, p. 120).

Esses elementos internos da notícia, conforme frisamos, permitem ao receptor crer que o que está lendo ou ouvindo é objetivo. Entretanto, de nada adiantaria, em termos de objetividade, se os fatos geradores e os temas de análise escolhidos pelos diversos veículos fossem distintos, ou se, produzindo informação com um mesmo fato gerador, cada veículo desse ao acontecimento visões bastante distintas ou mesmo antagônicas.

B. COINCIDÊNCIA E CONSONÂNCIA TEMÁTICAS

A coincidência temática parcial entre jornais, telediários e informativos de rádio, espécie de "tendência incestuosa presente na grande família dos meios de comunicação" (Woodrow, 1991, p. 39), é constatável por qualquer consumidor de informação que se disponha a fazê-lo. Isso porque há um entendimento relativamente uniforme entre grande parte das organizações da mídia sobre os elementos constitutivos de uma notícia, que tipo de notícia é importante, quais os temas impreteríveis etc.

No âmbito acadêmico, o estudo da incidência de temas (coincidentes ou não) ensejou abundante literatura. As "análises de conteúdo" feitas por sociólogos da comunicação (sobretudo americanos) precisam com grande acuidade científica esses índices. Alguns desses estudos se tornaram referência obrigatória, quer pelo prestígio de seus autores ou da revista onde foram publicados, quer pela dimensão internacional dos fatos analisados. Citaremos alguns desses trabalhos a título de exemplo, mais pela preocupação científica de que se revestem do que pelos resultados obtidos.

Interessa-nos mais de perto a homogeneidade temática entre os produtos teoricamente consumíveis pelo mesmo cidadão. Dessa forma, os estudos de coincidência temática entre mídias distintas nos será mais útil. Há maior probabilidade de um receptor consumir um jornal diário impresso e outro televisivo no mesmo dia do que dois jornais impressos. Da mesma forma, é maior a probabilidade de determinado consumidor ler (ou folhear) um jornal impresso de abrangência nacional e outro de abrangência local do que dois locais ou dois nacionais.

É o receptor, individualmente considerado, que perceberá este ou aquele produto mediático como mais ou menos objetivo em função do conjunto de informações de que dispõe e da aparência de objetividade que essas informações tenham na sua singularidade e no seu conjunto. Daí a relevância da coincidência temática. Aquilo que, visto da perspectiva do produto, é objetividade aparente, para o receptor é informação objetiva.

Uma coincidência temática acentuada entre os diversos meios foi constatada por vários autores, como Lasorsa e Wanta (1988) e Stempel e Windhauser (1984). Índices ainda mais elevados foram registrados em um estudo realizado por Patterson (1980) durante a campanha para as eleições presidenciais de 1976 nos Estados Unidos. No entanto, a coincidência temática atinge seu cume quando nos limitamos a estudar a cobertura de "grandes assuntos nacionais" (que são, como veremos, os que de maneira mais eficiente e rápida estruturam a agenda do público).

Por exemplo, o tema da cocaína foi intensamente enfocado pelos diversos meios (uns seguindo aos outros) durante o ano de 1986. Durante o verão desse ano, segundo os estudos de Danielian e Reese (1988), o tema era onipresente. Mais recentemente, a cobertura intermediária dos temas da Aids, do terrorismo e da fome no continente africano deu-se de maneira semelhante.

Há evidências de que a cobertura desses "grandes temas" está aumentando. Em um estudo realizado por Merriam e Makower (1988), observa-se que em 1980 apenas um tema recebia 10% ou mais do total da cobertura jornalística intermediária durante o período de duas semanas. Em 1985, esses "supertemas" já eram 14, e em 1986 eram 23.

Contudo, não nos limitaremos à eventual semelhança temática e de abordagem entre produtos teoricamente consumíveis por um mesmo receptor (análise de conteúdo intermediática), pois em algumas situações específicas de consumo mediático, mais freqüentes do que imaginamos, produtos distintos veiculados pelo mesmo meio (por exemplo, o jornal) são lidos pelo mesmo receptor e, muitas vezes, quase que inexoravelmente, comparados: é o caso do leitor de banca de jornal, que, embora quase sempre se limite à primeira página, no Brasil tem enorme peso estatístico entre os receptores desse meio de difusão. Acrescentem-se a este outros casos de menos incidência, como salas de espera de todo o gênero, transportes públicos etc.

Astroff e Nyberg (1992), em um estudo de análise de conteúdo sobre a cobertura na imprensa americana das eleições francesas de 1981, constatam a grande homogeneidade com que os veículos analisados[8] construíram o "discurso da crise". Os autores constatam um fluxo central (*mainstream*) na cobertura desse acontecimento pela imprensa americana, não só pela coincidência dos temas cobertos, como pela abordagem relativamente homogênea desses temas.

Nir e Roch (1992) chegaram a conclusões semelhantes na comparação entre dois jornais israelenses sobre a cobertura da questão palestina. Um, destinado a um público de capital cultural elevado (*quality paper*), e o outro, o mais lido de Israel, portanto, com uma faixa de audiência bem mais larga nas distintas variáveis sociológicas (*popular paper*). Segundo os autores, contrariamente às expectativas, as diferenças na cobertura da questão palestina por esses dois periódicos foram mínimas. O consenso e a ideologia nacional amplamente compartilhada minimizam as diferenças de estrutura narrativa e estratégia retórica. Os autores, em função dessa semelhanças temática e de abordagem, também sustentam a presença de um *mainstream* ideológico.

Hana Al-Deen (1992) constatou também tanto a semelhança temática quanto a de abordagem entre os jornais *The Washington Post* e *Arab News* na cobertura da Guerra do Golfo. As manchetes dos dois jornais foram comparadas segundo os critérios de tema e enfoque. Cita a autora em suas conclusões que ambos os jornais abordaram temas como "forças militares" e "reações internacionais" com grande coincidência de datas, dando uma "direção relativamente similar" em suas coberturas. Essa uniformidade pode ser atribuída, ainda segundo Al-Deen, ao fato de que ambos os jornais tiveram nos relatórios governamentais sua principal fonte de informação.

Um exemplo elucidativo do que pretendemos demonstrar foi realizado em La Pampa (Argentina) por dois engenheiros agrônomos[9]. O estudo compara o conteúdo de programas agropecuários de rádio e televisão transmitidos nessa região da Argentina. Os autores destacam em suas conclusões que, apesar do interesse relativamente disperso da audiência dos distintos programas, a coincidência temática supera em muito a não-coincidência.

Em algumas análises, a coincidência temática já era admitida de ofício. É o caso do estudo sobre a cobertura mediática da indústria petroleira no final dos anos 1970 nos Estados Unidos (Erfle e McMillan, 1989). Os autores propõem a hipótese de que o preço do petróleo é fato determinante do tipo e incidência da cobertura que a televisão (de forma consonante) faz da indústria e da produção em geral. Sugerem que as notícias televisivas sobre a indústria petroleira têm mais chance de serem veiculadas quando os preços do petróleo estão altos.

Essa coincidência/consonância temática encontra em parte sua explicação na existência de critérios comuns de seleção de fatos para a produção, critérios que determinam a definição da notícia, legitimam o processo produtivo e contribuem para prevenir as críticas do público. Para Pierre Bourdieu (1994, p. 5), essa coincidência é mais um dos efeitos de campo decorrentes da especificidade desse espaço de produções culturais em que a concorrência leva a um controle permanente das atividades dos concorrentes. Essa preocupação obsessiva com o adversário torna defensiva a atividade jornalística, na qual evitar o erro é a palavra de ordem.

É assim que, no campo do jornalismo, como em outros, a concorrência, longe de ser geradora de originalidade e de diversidade, tende com freqüência a favorecer a uniformidade da oferta, como se pode facilmente constatar comparando o conteúdo das grandes revistas semanais, ou das cadeias de rádio e televisão com grande audiência.

Na mesma linha de explicação da coincidência temática como efeito de uma lógica de campo, Noelle-Neumann (1993) aponta uma grande influência recíproca no estabelecimento do marco de referência: os jornalistas se orientam, segundo a autora alemã, pelos programas de televisão, enquanto os jornalistas de televisão se orientam pela imprensa. Nessa prática profissional tem um grande peso científico a busca do aplauso dos companheiros e superiores.

A essas causas, Noelle-Neumann acrescenta alguns outros fatores que provocam e consolidam essa unidade abstrata: suposições e experiências coincidentes dos jornalistas de todas as categorias e especialidades sobre os critérios de êxito com o público; tendência unânime à auto-afirmação dos jornalistas e uma dependência comum a determinadas fontes, sobretudo agências de notícias.

Saliente-se que tanto a coincidência/consonância temática quanto a própria aparência de objetividade informativa são tendenciais. Elas não descaracterizam a especificidade e a diversidade de veículos e meios e, sobretudo, não podem ocultar que a subjetividade do trabalho jornalístico está presente em todas as etapas do processo de produção da notícia.

PARTE II

Objetividade aparente e subjetividade

A subjetividade é um tema de abordagem indigesta. Não só por ser complexo, mas também por ser malvisto pela comunidade científica. Se fosse feito um estudo de incidência léxica nos discursos sobre o procedimento correto do jornalista ou do cientista, seguramente o adjetivo "objetivo" surgiria como um dos mais citados, e "subjetivo" como um dos menos.

Como bem observa o filósofo francês Félix Guattari (1990, p. 21) paira sobre a subjetividade uma espécie de suspeita, uma desconfiança, uma "recusa de princípio", em nome das infraestruturas, das estruturas ou dos sistemas. "Os que abordam a subjetividade o fazem com enormes precauções, cuidando para não se distanciarem em demasia dos paradigmas pseudocientíficos, tomados preferencialmente das ciências duras: a termodinâmica, a topologia, a teoria da informação, a teoria dos sistemas, a lingüística etc." (Guattari, 1990, p. 23).

Essa aversão da ciência pela subjetividade também é denunciada por Antonio Vilarnovo (1993), que nos propõe um conjunto de assimilações, comumente encontradas na literatura científica, da dualidade objetivo/subjetivo: exato/inexato, adequado/inadequado, verdadeiro/falso, científico/não-científico, individual/geral e aceitável/recusável. O sujeito, por reconstruir o real, é fonte de imprecisão, de delimitações desviadas pela consciência do cognoscente, de inadequação à realidade, de falta de correspondência com o objeto, de falsidade e de preconceitos próprios daquele que enuncia. Inimigo da ciência.

No entanto, para o estudo científico da comunicação, realizado por todas as ciências ditas humanas, cada uma segundo sua própria metodologia, o sujeito é preocupação central. E, na gramática de base, o sujeito e o predicado são os dois primeiros tópicos da análise sintática.

A seguir, procuraremos precisar uma noção de sujeito que facilite nossa compreensão posterior do processo de recepção e dos efeitos que os produtos mediáticos exercem sobre a sociedade.

O QUE É O SUJEITO?

Não seria oportuno entrar, aqui, no mérito de intrincadas discussões filosóficas, seguramente pertinentes, sobre a natureza do sujeito, sua existência transcendental, metafísica, genética, socialmente construída etc. Limitaremo-nos, servindo-nos sobretudo da análise de Lamizet (1992), a esclarecer a noção de sujeito diante do processo comunicativo, que nos interessa mais diretamente.

Para Lamizet, o sujeito na comunicação pode ser observado em três dimensões fundamentais: a primeira, um modo de descrição dos comportamentos e das práticas sociais; a segunda, uma abordagem (única) das relações entre os sujeitos no campo da cultura e das representações simbólicas; e a terceira, a dimensão enunciativa do sujeito, ou seja, da sua função de discurso.

A primeira dimensão coincide em grande parte com o conceito de habitus, de Pierre Bourdieu. A rigor, nessa dimensão o sujeito é a sua trajetória social feita corpo, é a manifestação permanente de um aprendizado social também permanente. Como bem observa Lamizet (1992, p. 45), por intermédio dessa dimensão do sujeito podemos nos dar conta das práticas sociais e das regras de comportamento de determinado grupo, "a partir do momento em que elas são assumidas individualmente por um ator, que se vê, dessa forma, reconhecer o estatuto de sujeito que pertence à comunidade".

Seguindo a análise do autor, essa primeira dimensão (antropológica) do conceito de sujeito vai mais além de um reflexo (individualização) de regras sociais de comportamento. O sujeito seria uma representação das estruturas sociais que as atualiza por lhes dar uma forma, tornando-as visíveis e perceptíveis dentro do espaço das relações sociais e das trocas simbólicas. O sujeito constituiria, assim, a mediação entre as estruturas antropológicas e a linguagem que, lhes dando uma forma, lhes dá sua realidade.

A segunda dimensão do sujeito, diretamente ligada à primeira e dela dependente, é a de pertencer a um grupo. Essa segunda dimensão coincide sobremaneira com o papel desempenhado pelo sujeito nas sociedades caracterizadas pela "solidariedade mecânica" (Durkheim) e pelos "laços de comunidade" (Tönnies).

A solidariedade mecânica é, para usar a expressão de Durkheim, uma "solidariedade por semelhança". O sujeito existe na medida em que se parece com os demais. A sociedade, lógica e cronologicamente anterior ao indivíduo e fortemente marcada pela consciência coletiva, constrói essa semelhança impondo aos seus membros sentimentos comuns, valores comuns e um mesmo sagrado. Essa dimensão do sujeito, caracterizada pela semelhança aos demais, obsta a indiscriminada aproximação da subjetividade ao relativismo[1].

Nesse sentido, observa Lamizet, a identidade do sujeito não é o que permite diferenciá-los dos demais, e sim o que lhe permite reunir-se aos demais pela semelhança: ela representa menos um conjunto de traços distintivos e mais um conjunto de traços comuns. Observaremos, no capítulo seguinte, o quanto, em um processo estritamente individualizado, a cultura da recepção deixa entrever elementos comuns no comportamento de cada indivíduo.

A terceira dimensão, a enunciação, é a parte mais visível do sujeito. É a dimensão comunicacional por excelência, que confere à comunicação um sentido estético, propriamente material, de dar corpo à linguagem, fazê-la ver, ler, ouvir, falar. Como observa Lamizet (1992, p. 47), essa dimensão do sujeito nos remete a uma forma (única) de "apropriação individual de formas da representação que dá ao sujeito uma realidade social", atribui-lhe um contorno, uma superfície de visibilidade socialmente reconhecida.

Veremos em um primeiro momento o trabalho do jornalista na produção informativa (capítulo 3) e, em seguida, o processo de recepção desse produto (capítulo 4).

CAPÍTULO 3

Subjetividade e produção informativa

As pessoas acabam esquecendo que
quem faz o jornal somos nós, os jornalistas.
(Antônio Carlos Fon)

O espaço dos produtores não se confunde com o espaço dos produtos informativos. A produção jornalística é apenas uma das estratégias de atuação no campo jornalístico. Nem sempre produtos informativos reconhecidos dão a seu autor uma contrapartida correspondente no espaço concorrencial de consagração profissional. Situação parecida ocorre no campo acadêmico. A produção científica, em um universo estéril de professores, pode acarretar isolamento e marginalidade.

Veremos, em um primeiro momento, como se manifesta a subjetividade do jornalista nesse espaço concorrencial de profissionais (I) e, em um segundo momento, em que medida essa subjetividade se transforma em produto (II). Na terceira parte do capítulo, propomos a existência de um *habitus* propriamente jornalístico (III).

I. SUBJETIVIDADE E CAMPO JORNALÍSTICO

O jornalista manifesta sua individualidade em um compromisso com as coações próprias ao universo social a que pertence. Essa individualização do sujeito (no caso, o profissional de imprensa), socialmente reconhecida e que estabelece limites em relação ao outro, denomina-se *subjetividade*. Trata-se de um estado particular do sujeito como manifestante de sua própria especificidade por meio da comunicação. "A subjetividade é o que faz com que o sujeito seja reconhecido e circunscrito pelo outro, uma vez que a subjetividade representa, em definitivo, o que o sujeito faz ver de si na relação de troca simbólica com o outro" (Lamizet, 1992, p. 47). Ela dependerá do grau de liberdade que terá o sujeito, inversamente proporcional à pressão que sofre, para manifestar sua singularidade, seu *ethos*.

Veremos, de um lado, em que medida a singularidade do trabalho do jornalista pode se manifestar (A) e, de outro, algumas propriedades do campo jornalístico como espaço de posições referenciais, competição e coação (B).

A. A SINGULARIDADE DE CADA PROFISSIONAL

A singularidade de cada sujeito no trabalho jornalístico depende intrinsecamente da liberdade que tem, como profissional, para se expressar. No caso da censura em países totalitários, por exemplo, a liberdade do jornalista é vítima de agressões, juridicamente tipificadas ou não. No entanto, outros tipos de coação estarão inexoravelmente presentes, independentemente das normas jurídicas que regulamentem a profissão, bem como da sua efetiva aplicação. A inserção de preceitos de liberdade de imprensa em códigos de ética, em manuais de liberdades públicas e sua previsão constitucional não impedirão que as coações próprias à dinâmica de um universo social específico e relativamente autônomo como é o jornalístico se façam presentes. Dependendo do grau de liberdade que tenha, o trabalho de um jornalista será mais ou menos pasteurizado, ou seja, poderá fazer ver menos ou mais o seu *ethos*.

A TEORIA DO ETHOS

A teoria do *ethos* aplicada ao jornalismo foi desenvolvida por Fernando López Pan (1995). Ao estudar a coluna jornalística, tipo de produto onde a liberdade do manifestante costuma ser grande, o autor apresenta o *ethos* do colunista como uma maneira de ser própria, revelada na ritualização de suas colunas; uma imagem de si mesmo que serve de ponto de tangência com a expectativa do leitor. O *ethos* é o *entre*, o ponto de confluência e contato, o mundo comum de valores, idéias e atitudes diante da vida, a interação dos universos pessoais do jornalista e do leitor.

O autor destaca dois componentes do *ethos*: de um lado, o *ethos* (nuclear) aristotélico, estritamente ligado ao aspecto moral, manifestado através de valores, preferências, intenções e finalidades. De outro, um conjunto de elementos retóricos satélites que envolvem todo o revestimento formal da coluna, a escolha dos temas, a maneira de enfocá-los, estrutura e estilo etc. Ao definir o *ethos*, o colunista não só define sua audiência, mas, de certa forma, a constrói.

Observamos que a prerrogativa de construir a própria audiência assegura ao colunista grande autonomia, por poder trazê-la consigo para outra empresa (não sem uma perda relativa daqueles consumidores cuja fidelidade ao periódico ainda supera a própria empatia com o codificador), em caso de ruptura. Um exemplo, entre muitos que poderiam ser dados, foi a transferência do colunista Paulo Francis do jornal *Folha de S.Paulo* para seu principal concorrente, *O Estado de S. Paulo*.

A transferência de audiência (esperada pela empresa que solicita os serviços de um colunista reconhecido) será tanto mais provável quanto mais discrepante for o *ethos* do articulista em relação ao estilo geral do jornal. Analisando de outra forma, a identificação com o colunista, proporcionada pelo *ethos*, representa para o jornal um risco de dependência em relação ao profissional. Esse risco será tanto maior quanto mais a coluna representar um produto dentro do produto, uma entidade própria, com limites bem-definidos. O mesmo fenômeno se dá, por exemplo, com comentaristas esportivos no rádio.

Imperativo considerar que as prerrogativas e a conseqüente autonomia do colunista constituem uma exceção. O trabalho de um profissional da imprensa deve ser visto dentro de uma lógica concorrencial (à qual os colunistas, por certo, não escapam), em que as relações entre profissionais constituem um universo relativamente autônomo dos demais universos sociais (que pretendem descrever em seus produtos informativos).

B. ALGUMAS PROPRIEDADES DO CAMPO JORNALÍSTICO

O jornalista, ao pautar um tema, ao escrever uma matéria, ao fazer uma entrevista, age, antes de tudo, para cumprir uma rotina profissional cuja principal especificidade é a celeridade dos prazos. Mas age também em função da lógica das relações sociais do universo em que interage, ou seja, em função do conhecimento e do reconhecimento de si próprio, de seu nome. Obviamente, cada jornalista, dentro de sua empresa, terá maior ou menor grau de independência, em função de vários fatores: segurança em relação ao seu emprego, que por sua vez dependerá da posição por ele ocupada dentro da empresa, de seu prestígio dentro do campo jornalístico (como editorialista, colunista, produtor autônomo de informação etc.) e do grau de concentração da mídia em geral, uma vez que, quanto maior a concentração dos meios de difusão de informação, menor o número de empregadores potenciais.

Essa independência está relacionada também, como observa Bourdieu (1994), com a posição que ocupa o jornal no espaço concorrencial dos diversos jornais. Bourdieu destaca a existência de dois pólos ideais-tipo de produção informativa: o pólo econômico-comercial e o pólo cultural. Os diversos produtos se aproximam ou se distanciam desses pólos em função de suas próprias características e de seus mecanismos de produção. Um dos elementos que contribuem para essa discriminação (no sentido estrito da palavra) é a maior ou menor independência de sua redação e de seus componentes. Dependerá também do grau de autonomia que tem o jornal em relação, sobretudo, aos campos políticos e econômico.

RELAÇÃO COM OUTROS CAMPOS SOCIAIS

A rigor, o campo jornalístico apresenta pontos de tangência ou áreas de intersecção com todos os campos sociais. Nesse sentido, o campo jornalístico, parcialmente, estrutura-se e é estruturado por esses outros campos. Um jornalista esportivo que tem como fonte privilegiada um determinado técnico de futebol, ao entrevistá-lo com grande freqüência, contribuirá para aumentar sua superfície de visibilidade e, com isso, seu capital dentro do universo social dos "profissionais da bola". Inversamente, quando um jogador de grande prestígio se recusa a falar com a imprensa e privilegia este ou aquele repórteres concedendo-lhes exclusividade para entrevistas, estará agindo sobre o campo jornalístico, fazendo do repórter escolhido um profissional indispensável.

Outro exemplo da influência que pode exercer o campo jornalístico é dado por Louis Pinto (1994). A contundência científica do exemplo nos anima a reproduzir este longo parágrafo:

> Mesmo em um campo reconhecido por seu esoterismo como é o da produção filosófica, os meios de comunicação conseguiram se atribuir uma forma de competência que pretende ser puramente descritiva: por intermédio das escolhas que operam em matéria de interlocutores, "*vedettes*", temas e títulos, os jornalistas não estariam fazendo nada além de relatar o que já existe diante deles e sem eles. Isso é esquecer que, por seu intermédio, o mero fato de classificar, por exemplo imputando em um olho da matéria o atributo de "filosófico" a um autor ou a um texto, já constitui uma intervenção no campo filosófico. E essa intervenção, longe de se limitar a uma camada marginal da produção filosófica, exerce efeitos sobre o conjunto do campo, na medida em que ela encerra, o que é cada vez mais difícil de não ver, uma nova definição do "filósofo" ou, o que significa freqüentemente a mesma coisa, do "intelectual", do seu trabalho e do seu "papel".

Ora, a partir do momento em que o campo jornalístico exerce influência sobre os demais campos de produção cultural, o inverso também ocorre. Se as decisões dos jornalistas podem influir sobre a existência social de um autor, uma obra, um trabalho artístico etc., essas decisões passam a ser objeto de luta no seio de todos os campos que dela dependem mais ou menos diretamente. Dessa forma, ter o próprio livro citado em um suplemento cultural ou participar de um debate televisivo passam a ser de alguma forma convites forçados, e às vezes bem-remunerados.

Além das coações externas ao campo jornalístico, que procuramos exemplificar acima, pesa sobre o jornalista a competição interna ao campo: a necessidade de reconhecimento pelos seus pares. Claro está que o trabalho jornalístico, além de ser um produto informativo, é um instrumento de luta simbólica entre profissionais pelo monopólio tendencial da divulgação informativa e pela definição do produto mediático legítimo. Portanto, só pode ser entendido em função de seus concorrentes.

Se a subjetividade existe e se manifesta no trabalho do jornalista como um compromisso entre o seu *ethos* e as coações sociais a que se submete, também o receptor, diante de um produto informativo, decodificará a mensagem em um processo seletivo-associativo cujas etapas são subjetivamente marcadas por filtros psicológicos estruturados em uma cultura de recepção, conforme veremos no próximo capítulo. Esse trabalho do jornalista, subjetivamente marcado, produz efeitos. Transforma o mundo geográfico em um mundo possível, mediaticamente construído e reconstruído diariamente.

Nesse sentido, o jornalismo internacional é mais revelador. Por trabalhar com uma realidade, via de regra, mais distante do receptor, a produção internacional é a mais arbitrária e seletiva, já que o número de fatos mediatizáveis é potencialmente maior. No entanto, a dependência de fontes comuns, os estritos limites de tempo e espaço e o desconhecimento natural (por parte do corpo de produtores informativos) de regiões ignoradas pela mídia internacional tornam a produção de informação internacional, paradoxalmente, mais consonante e coincidente do que as demais. Essa consonância permite aos meios construírem e imporem um mundo possível que, para o receptor, mais do que em qualquer outro segmento informativo, é o mundo real.

III. HABITUS E CAMPO JORNALÍSTICO

Há, entre as estruturas internas do campo do jornalismo, um mecanismo de autopreservação objetivado no exercício constante de uma dupla classificação das ações da imprensa. O jornalismo é pródigo em autocríticas e indicações de procedimentos na mesma medida em que se protege de ataques e críticas externas (Bourdieu, 1996, p. 109). O exercício da autocrítica garante a impressão de autonomia, de independência e do livre procedimento dos agentes do campo, afastando do debate as estruturas do campo que, em grande parte, condicionam a prática real.

Analisando o discurso dos dominantes e a postura dos estudantes de comunicação diante do que lhes era dito, configurou-se vagamente a hipótese de uma progressiva incorporação da crítica ao campo como uma condição tácita e expressiva de participação nesse universo. O espanto dos alunos tornava-se uma aprovação tácita, quando não entusiasta, da crítica. Muitas vezes a admiração da fala transferia-se rapidamente para a exaltação do enunciador. Em outras palavras, as estruturas determinantes da ação prática incluíam uma dimensão crítica ontológica como premissa de existência do campo.

O exame das principais críticas ao jornalismo revela uma surpreendente unidade estrutural da escolha de argumentos, do foco dos ataques e as discriminações de procedimentos esperados e condenados revela a vinculação da crítica livre a condições específicas de ação no campo jornalístico. Em outras palavras, a crítica dos jornalistas ao jornalismo apresenta-se como parte de uma estrutura de campo – no caso, um mecanismo de legitimação dos procedimentos práticos pela crítica do próprio procedimento.

Condição expressa de ação em um campo, a objetividade do procedimento manifesta-se na aparente inexistência de referências anteriores, escondendo as estruturas inerentes a qualquer codificação. Difundida pelo próprio campo para assegurar sua existência, ganhar e manter a confiança do público, a crítica da profissão por seus principais representantes é garantia de independência. O procedimento prático é apresentado como uma entidade abstrata vinculada apenas à subjetividade do agente.

A crítica à profissão é um procedimento adquirido na medida em que os indivíduos vão travando conhecimento com as condições específicas de produção e prática do jornalismo. Os alunos de primeiro ano de comunicação com habilitação em Jornalismo mostram uma espécie de "encanto" com a profissão, oriundo ainda de sua vinculação a universos sociais nos quais o prestígio do "homem letrado", segundo uma longa e complicada tradição (Cohn, 1973), ainda é alto.

À medida que se familiarizam com os procedimentos jornalísticos, praticando reportagem, edição e texto desde os primeiros meses de faculdade, o processo se inverte. O aprendizado da prática acompanha a crítica da prática, respeitando-se os cânones do convencionado bom jornalismo. Em ambos os casos, o fundamento está no procedimento dos elementos em destaque, na transferência de capital simbólico pela imitação das ações consagradas na esfera prática e na esfera crítica.

A apresentação da norma atual como absoluta retira a dimensão histórica, portanto material, de sua produção, privilegiando a impressão de atemporalidade das regras da prática, e, portanto, sua posição além de qualquer crítica. As modificações históricas na prática correta da profissão mostram os elementos arbitrários presentes na concepção do que era, em cada momento, o melhor desempenho possível da profissão. As regras atuais, portanto, devem ser localizadas histórica e socialmente como construções específicas de um momento particular. A história a cada momento se torna regra na definição de novas regras do jogo em oposição às antigas e sua constante incorporação pelos participantes do campo.

Existe um evidente paradoxo entre a independência crítica do jornalista em relação à própria atividade e sua concomitante adequação aos mesmos mecanismos que critica. Esse efeito de legitimação é relacionado, todo o tempo, com o discurso dos dominantes do campo jornalístico. Dessa forma, o que está em jogo é muito mais do que a propagação de um modelo de jornalismo. Cada corrente pretende alcançar a dominação tendencial do campo, destituindo os concorrentes de sua razão de ser. Isto é, que seu capital profissional é menor, falível, portanto inútil.

O estabelecimento das práticas cotidianas é um complexo fenômeno influenciado por matrizes diversas de ação reguladas por uma conjunção de fatores que escapam tanto à redução do comportamento à atitude volitiva do sujeito quanto de sua submissão a um contexto espaço-temporal determinado. As práticas não são estabelecidas por critérios objetivos e mensuráveis, passíveis de articulação por parte do indivíduo. Ao contrário, a maior parte das ações apresenta-se ao sujeito como a conseqüência óbvia de uma ação anterior, ignorando o arbítrio existente na adoção de uma escolha. Esse fenômeno resulta da interação entre o espaço ocupado pelo indivíduo em um determinado campo e o *habitus* individual.

Pierre Bourdieu parte do princípio de que os objetos de conhecimento são construídos, não dados. Todavia, o mundo não está baseado unicamente na representação subjetiva – ou volitiva – construída sobre princípios da vontade. As estruturas de ação do sujeito são antes de tudo objetivas, preexistentes e fundamentais para a compreensão posterior do mundo pelo sujeito.

O princípio dessa construção é o sistema de disposições estruturadas e estruturantes que se constituem na prática e são sempre orientadas em seu sentido prático. Tais disposições são incorporadas pelo agente durante sua trajetória social, em particular na família e nas instituições escolares. Esse sistema de disposições duráveis e aplicáveis a qualquer situação, "estrutura estruturada" predisposta a operar como "estrutura estruturante", como princípio gerador de práticas e representações, é o *habitus*. O *habitus*, explica Bourdieu (1980, p. 88), pode ser comparado a um maestro que comanda as diversas partes da ação do sujeito nos diversos campos em que está inserido.

O *habitus*, portanto, é o princípio "gerador e regulador" das práticas cotidianas, definindo em sua atuação conjunta com o contexto no qual está inserido, reações aparentemente espontâneas do sujeito. Uma determinada prática social é produzida a partir da relação entre a estrutura objetiva definidora das condições sociais de produção do *habitus* e as condições nas quais ele pode operar, ou seja, na conjuntura em que está inserido.

A existência de um *habitus* particular compreende a aceitação tácita das regras de conduta no campo, objetivadas na prática dos agentes concorrentes e colaboradores. Todavia, há uma despersonalização dessa situação, remetendo o iniciante no jornalismo para a hipotética existência de uma regra independente do sujeito – um fenômeno, como apontado por Lukács, de reificação. "Pois é o jornalismo que converte o jornalista em mestre do próprio jornalismo. A origem do jornalismo é o jornalista. A origem do jornalista é o jornalismo" (Costa, 1991, p. 241).

O *habitus* profissional é a matriz comum das práticas de todos os agentes que vivem e viveram nas mesmas condições sociais de existência profissional. Graças a essas disposições comuns, decorrentes de uma percepção comum de mundo socialmente forjada e interiorizada ao longo de trajetórias no mesmo universo, cada profissional, obedecendo ao seu "gosto pessoal", concorda, sem saber ou perceber, com muitos outros levados a agir em condições análogas[2].

Bourdieu usa a metáfora de um "maestro invisível" para elucidar essa concordância. Isso porque, quando percebida como tal, é tomada por obviedade, naturalizada. Simplificam-se assim as causas do fenômeno pela economia da identificação dos processos propriamente socializadores que o acarretaram[3].

Esse agir comum, decorrente ou não de ações pré-reflexivas, é matéria-prima do eidos profissional. Os efeitos homogeneizadores citados não podem ocultar a singularidade de cada trajetória no campo. Unidades de comportamento observadas são constatadas como semelhantes na singularidade do espetáculo perceptivo de cada observador. Assim, a um conjunto fático, não percebido, somatória das condutas profissionais deste ou daquele universo, se sobrepõe uma outra seqüência, flagrada, constituída por cenas em parte impostas – ao observador em vias de socialização – pelo acaso e, em parte, procuradas e encontradas.

É essa última seqüência que existe para o observador e, portanto, que produz efeitos socializadores sobre ele. Em função disso, é nesse espetáculo singular que o eidos jornalístico se converte em disposições subjetivas de ação, isto é, em um *habitus* jornalístico.

Como já observamos, todo *habitus* é um tipo de saber prático, ou seja, de conhecimento voltado para a ação, para a práxis. Assim, dada uma certa situação, essa práxis pode ser precedida de um cálculo, de uma reflexão consciente com base em efeitos presumidos e fins a alcançar. Nem sempre, no entanto, esse cálculo é necessário. A observação repetida de situações, constatadas como análogas, pode produzir no agente social uma reação espontânea, não refletida.

Em suma, nem sempre o saber prático é conscientemente apreendido e aplicado. Abordaremos, assim, em um primeiro momento, a origem do *habitus* jornalístico, pela observação socializadora de uma prática rotinizada; em seguida, destacaremos a síntese dessa prática em disposições de agir ou reagir, dadas certas situações reconhecidas como familiares.

A ORIGEM DO *HABITUS* JORNALÍSTICO: PRÁTICA ROTINIZADA

Da mesma forma que um observador que contempla uma progressão aritmética (como 0,2,4,6,8,10,...) constata um acréscimo fixo que se repete e espera pela seqüência na mesma progressão, também uma ação do cotidiano gera, espontaneamente, expectativa de uma seqüência. Começamos por um exemplo não especificamente jornalístico. Tipificamos as seqüências gestuais de um cumprimento entre jovens, com dois beijos, antecedido por um duplo meneio de tronco em repetições AA, AA, AA, AA, ... Como já destacamos, cada unidade de qualquer seqüência é independente das demais. Isso porque um ou outro beijo, individualmente considerado, não pode mudar em nada "o estado de coisas AA"[4].

No entanto, uma mudança se produz no observador, no "espírito que contempla"[5] essas seqüências, isto é, os múltiplos cumprimentos. Quando o primeiro A se produz – no nosso exemplo, o primeiro beijo após a aproximação de dois jovens – o observador (ou qualquer um dos agentes da cena) espera o segundo A, isto é, o segundo beijo. Neste momento, a repetição se objetiva no sujeito, na expectativa de seqüência. Esse ritual de gestos seqüenciados só é percebido como apreendido e, portanto, como arbitrário quando há erro, ruptura de expectativa, dissonância. É o caso de um cumprimento com dois beijos em alguém que espera um terceiro.

Também na produção da notícia o erro de *habitus* é um mau encontro, uma inadequação entre disposições interiorizadas e condições sociais objetivas. Pode ser causado por uma ruptura de ordem fática – o real a ser relatado se encaixa mal nos esquemas de atribuição de valor interiorizados até então – ou, mais freqüentemente, de ordem prática. Esta última se produz em conflitos de socialização. Em que condições da produção da notícia estes conflitos podem se verificar?

O campo jornalístico é constituído por muitos subcampos. Embora estes apresentem aspectos comuns que justifiquem a constituição de um campo geral do jornalismo – relativamente autônomo em relação a qualquer outro espaço social –, discriminam-se por singularidades que também os constituem enquanto espaços sociais com autonomia relativa. Assim, os jornalismos televisivo, radiofônico e impresso aproximam-se e, ao mesmo tempo, se singularizam como espaços destinados a uma produção específica e, portanto, a uma subjetivação própria de um certo profissional.

Da mesma forma, o jornalismo impresso de jornal diário em relação às revistas semanais. Finalmente, cada empresa, como espaço de posições sociais, estrutura-se de uma maneira específica, produzindo também efeitos singulares de subjetivação. Essas singularidades ensejam, em caso de ocupação de uma nova posição, num novo espaço, os erros a que nos referimos. A posição social anterior permitia e exigia ações "de olhos fechados" que o desconhecimento da topografia do novo espaço inviabiliza.

Uma das dificuldades de ação nesse novo espaço é a conversão do capital social acumulado ao longo da trajetória percorrida no espaço anterior em capital válido no novo espaço. Esta conversão será tanto mais onerosa quanto maior for seu grau de estruturação, isto é, quanto maior for sua autonomia relativa em relação aos demais espaços sociais: autonomia de regras de conduta, de troféus, de atores etc.

Analisando os ônus da ocupação de um novo espaço, o apresentador esportivo Milton Neves observou sobre sua passagem pelo programa televisivo Super Técnico da Band: "O que aqui na rádio sai sem pensar, na televisão foi preciso aprender tudo de novo. Nos primeiro dias, pelo amor de Deus, foi uma calamidade. Eu tive de enfrentar em audiência cobras criadas da televisão".

Esses erros, no entanto, não constituem regra. A relativa coerência dos processos de socialização permite antecipações com alguma certeza de sucesso. Mesmo quando as seqüências esperadas envolvem maior número de unidades e de naturezas diferentes, como uma entrevista jornalística. O que se costuma chamar de uma "grande sacada", "senso de oportunidade", "superintuição" em muitos casos se constitui em ações não calculadas, é verdade, mas decorrentes de um saber prático aprendido na repetição observada, por vezes exaustivamente, de reações de entrevistados[6].

Como destacou Jô Soares, "não me pergunte o motivo, mas antes de o entrevistado se sentar eu já sei se a entrevista vai ser boa"[7]. Também apontando para a existência deste saber prático incorporado, Marília Gabriela foi enfática em comentário publicado no jornal *Folha de S.Paulo*: "De tanto fazer entrevista tenho uma forte intuição do que o entrevistado vai dizer; é como se tudo não passasse de uma repetição". Assim, da mesma forma que esperamos o segundo beijo, o entrevistador pode antecipar reações e, na hipótese de acerto, dispor de tréplicas "na manga".

De que forma as seqüências da realidade, constatadas pelo observador, dispensam cálculo, permitem antecipações, geram reações? Hume explica que casos idênticos ou comparáveis, quando constatados na observação, se fundem na imaginação.

Experiências análogas, na medida em que são flagradas senso rialmente, se sobrepõem, perdem a sua singularidade. Fundamentam indutivamente categorias que, uma vez definidas, dispensam fundamento. Dão sustentação empírica a esquemas genéricos de classificação do mundo que, por serem a trajetória objetivada no instante, aniquilam a trajetória como seqüência[8].

Assim, no instante da percepção de um elemento da progressão aritmética, do segundo beijo, ou da última tentativa para quebrar o gelo do entrevistado, o agente faz manifestar, sem pensar e mesmo não querendo, uma história de experiências semelhantes. Como observa o editor do Jornal Nacional William Bonner, "acho que cada momento da minha vida profissional teve a sua importância para as reações quase espontâneas que tenho hoje no trabalho, mas não consigo identificá-los na hora de agir"[9].

Observe-se que nem sempre os elementos constitutivos de uma série de repetição são da mesma natureza AA (como no exemplo dos dois beijos). Mantemos o método e começamos por um exemplo não necessariamente jornalístico: as pesquisas em microssociologia, servindo-se da etnometodologia, e em comunicação interpessoal vinculam a relação da distância entre dois corpos em diálogo com diversas variáveis como a temática discutida, a posição social dos interlocutores (por definição reflexiva, isto é, uma em relação à outra), o local da aproximação etc.

Dessa forma, uma aproximação de cadeiras ou da boca no ouvido do interlocutor (A) é, via de regra, associada a uma temática mais íntima (B). Dessa forma, como no caso do beijo, a ocorrência de (A) gera a expectativa, não refletida, da superveniência de (B). Assim é a relação entre fato e valor jornalístico do fato. Como observa o repórter Cláudio Tognolli, "o grande pauteiro tem faro de pauta"[10].

Talvez mais do que um dote olfativo incomum, a capacidade de valoração e conseqüente hierarquização de um fato da realidade fenomênica em relação à especificidade do veículo, aos demais fatos, às opções dos concorrentes, às limitantes de infinitas naturezas que agem sobre qualquer produção editorial são conseqüência de certo tipo de aprendizado. *Sui generis*, é verdade.

A repetição diária, inerente a determinada produção jornalística e, em menor grau, a semanal, enseja – ou talvez force – a inculcação de associações entre fato e notícia que se naturalizam, se enrijecem, se cristalizam. Aprendizado *sui generis* porque dispensa reflexão. Como o olfato, dando razão ao repórter.

A dimensão rotineira do fazer jornalístico fica evidente, embora não manifestamente destacada, no relato de Isabel Siqueira Travancas (1992). O uso, no relato, do presente do indicativo reforça a coincidência dos procedimentos dia a dia. Assim, o jornalista

> deixa suas coisas em cima da mesa, cumprimenta-me rapidamente e vai falar com o pauteiro. Ele está terminando a pauta para aquele dia e ela dá palpites. (Como de hábito) ainda não há nada marcado para ela. Ela dá uma olhada nos jornais do dia, faz comentário sobre sua matéria da véspera. Ela torce para que lhe dêem logo uma (pauta) de preferência bem interessante. Dessa rápida conversa dá para notar como se costuma definir uma boa matéria – aquela reportagem que repercute muito, que sai na primeira página, que todo mundo lê e é alvo de comentários, em geral positivos e elogiosos. Um fator importante na rotina é a demora da pauta. Quanto mais tempo o repórter demora para sair, mais tarde voltará à redação. O ideal de todo repórter é chegar à redação, pegar a pauta e ir direto para a rua. Senão, quando estiver quase na hora de ir embora, surge outra matéria e isso acaba prejudicando o horário. Não é à toa

> que muitos comentam que, quando se aproxima o final do turno, certos repórteres se escondem atrás do terminal ou vão para o banheiro.

Esse relato aproxima o fazer jornalístico de atividades profissionais de cunho estritamente burocrático[11], reconhecidamente repetitivas[12].

Assim, da mesma forma, a distância mantida entre duas pessoas raramente é objeto de um cálculo explícito. Este só se faz necessário ante o relativo, ou mais raramente, absoluto ineditismo da situação. Assim, quase sempre, a repetição de aproximações análogas permite uma adequação topográfica, de distância de corpos, a vários tipos de temas, locais e posições sociais dos interlocutores.

Essa adequação não é memória nem entendimento: a contração, que permite a tradução de um aprendizado contínuo num saber prático instantâneo e gerador de comportamento, não é uma reflexão e sim uma síntese do tempo, de uma trajetória num instante. Neste ponto, tempo, trajetória e *habitus* se tangenciam.

A AÇÃO JORNALÍSTICA COMO SÍNTESE

Os múltiplos momentos de experiências de ações repetidas e independentes entre si se condensam, se comprimem, se fundem num só instante, numa só expectativa, numa só disposição de agir. É nesse instante de atualização de potências, de redução das contingências, de tangência entre a contração do observado e a ação social destinada a outras observações que é concebível a percepção - subjetiva - do tempo, ou seja, o próprio tempo.

Por que atualização de potências e redução de contingências? Observamos que o *habitus* como saber prático interiorizado resulta de uma compactação das múltiplas experiências da trajetória do indivíduo nas também múltiplas situações de ação. Isso significa que este saber prático decorre de um forte determinismo e singularidade fática ou, mais precisamente, singularidade de percepção do fato.

Assim, fosse outra a trajetória do indivíduo, outra a sua percepção do mundo, também outro seria seu *habitus*. Dessa forma, a trajetória singular de um indivíduo exclui, a cada ponto de sua constituição, infinitas "não trajetórias", infinitos espetáculos não percebidos num processo de exposição às mensagens do mundo essencialmente seletivo. Daí a atualização – no sentido de ato e de atualidade – e redução de contingências: o mundo é potencialmente infinito, porque infinitos são os flagrantes perceptivos possíveis.

Essa contração das experiências não é síntese operada pelo sujeito, mas constituinte do próprio sujeito[13]. Assim, observados os critérios de atividade e passividade em função do sujeito, popularizados pelo direito pelas categorias de "sujeito ativo" e "sujeito passivo", qualificamos a síntese da trajetória social em um só momento de passiva, porque não reflexiva, porque instituidora da subjetividade e, portanto, anterior a ela. Gerson Moreira Lima[14] costuma dar o seguinte exemplo aos alunos: "Romário e o Ronaldinho quebram a perna no mesmo dia. Qual dos dois será a manchete? Eles demoram para responder. Ainda não têm reflexo de pauta. Por isso são obrigados a pensar nas categorias de valoração do que é e não é notícia, como proximidade, universalidade etc."

Em outras palavras, a síntese passiva é causa eficiente da subjetividade, é instrumento ou processo de subjetivação, não podendo, assim, depender de nenhuma decisão do sujeito, nem ser objeto de seu controle. Ao contrário, impõe-se a ele. Nem sempre da mesma forma e com a mesma intensidade. Os flagrantes das seqüências fáticas, constatadas pelo sujeito como repetições em trajetórias singulares, são qualitativa e quantitativamente desiguais, produzindo, assim, efeitos variáveis.

Dessa forma, podemos não só constatar o efeito subjetivo produzido pela observação de ações sociais "repetidas" mas também avaliar a intensidade deste efeito, isto é, da expectativa pela superveniência de um elemento da seqüência gerada pela constatação de seu imediatamente anterior. Como observa Deleuze (1968, p. 96), "a imaginação contrai os casos, os elementos, os instantes homogêneos e os funde numa impressão qualitativa interna de um certo peso". Discutir o grau de determinismo de um saber prático incorporado sob a forma de *habitus* é precisar a partir de que momento o cálculo custo x benefício se faz necessário para a ação.

Saliente-se que essa síntese passiva, gênero do qual o *habitus* bourdieusiano é espécie, não esgota na não consciência suas experiências. Em outras palavras, nada impede que as experiências sintetizadas, indiscriminadas em um magma perceptivo condensado, espécie de trajetória de um ponto só, sejam resgatadas na memória, no entendimento, avaliadas e classificadas em função de referenciais cognitivos e repertório.

Não regressamos, com isso, ao estado primeiro das coisas observadas, rigorosamente independentes, "ao estado da matéria que não produz um caso sem que o outro tenha desaparecido" (Deleuze, 1968, p. 98). Mas a partir da síntese passiva, da imaginação singular, a memória reconstitui distintos pontos da trajetória, produzindo, agora ativamente, uma espécie de descompressão. Esta, contrariamente à compressão da síntese passiva, se desenvolve sob a égide da reflexão e do entendimento. A identificação consciente deste ou daquele ponto da trajetória não altera disposições de ação determinadas por síntese passiva.

Dessa forma, a metáfora da virgindade, tão cara a muitos manuais de metodologia jornalística para indicar a suspensão eidética ou transcendental, induz o repórter ou o pesquisador à ilusão de um possível ineditismo investigativo, da definição consciente de um hiato na trajetória que, se é cogitável na fase ativa de descompressão, encontra seus limites na síntese passiva em relação à qual não tem nenhum controle.

Assim, se toda investigação, jornalística ou científica, apresenta "causas finais", teleológicas, comumente discriminadas nos objetivos da pesquisa ou na discussão sobre as funções jornalísticas, não se pode perder de vista suas causas eficientes, condições materiais e sociais de produção do discurso acadêmico e jornalístico que não se restringem às relações hierárquicas mais visíveis, de cunho infraestrutural, mas estendem-se a maneiras de agir interiorizadas, específicas aos respectivos campos.

Embora apresentem características distintas, compressão e descompressão não são excludentes e sim complementares. Qualquer reflexão ou cálculo se apóia numa prática reflexiva, profundamente interiorizada durante uma longa trajetória de reflexões. Da mesma forma, toda reconstituição de trajetória, com base na memória, se serve de um *habitus* de *recall*, de busca; de uma prática associacionista de vínculo de novas experiências sensoriais a referenciais anteriores, de organização de informações encontradas e, se a ocasião ensejar, de elaboração de um relato.

A relação de participação das sínteses ativas e passivas na ação é imponderável porque dependente de todas as variáveis aleatórias que condicionam a cena em que devemos agir. Melhor dizendo, o quadro da ação imediata é, em parte, previsível e, em parte, não. Por isso, por mais previsíveis ou imprevisíveis que sejam as condutas, sempre haverá combinação de passividade e atividade. Dessa forma, mesmo ações poderosamente mecanizadas, com procedimentos interiorizados por inculcação em horas de observação e prática como a condução de um automóvel, não dispensarão, em situação anômala, cálculo e reflexão. Seguindo o exemplo, o caso de uma pane mecânica, uma perda de controle por derrapagem etc.

A combinação entre sínteses ativa e passiva nos faculta reflexões de natureza deontológica sobre a investigação e a reportagem que buscam se afastar de um achismo mais ou menos socialmente autorizado pela maior ou menor legitimidade do porta-voz analista. Um exemplo dessa combinação é o impulso jornalístico (incentivado e premiado), a chamada vocação de repórter que, em competição entre pares – em que a busca da informação inédita é troféu discriminante e valorizante – enseja o recurso ao meio mais eficaz para obtê-la. Assim, o falseamento na relação com a fonte, através da adoção de comportamentos e estratégias investigativas que induzam dolosamente a expectativas equivocadas vai se constituindo em cultura jornalística.

Dessa forma, mesmo as correntes mais críticas do jornalismo concentram suas análises nas opções conscientes e refletidas da produção da notícia, como se elas esgotassem esse fazer. Ao ignorar os saberes práticos não refletidos, apocalípticos e integrados compartilham uma mesma representação da práxis jornalística, centrada na razão e no cálculo, passando à margem da origem de relevantes questões de ordem ética e moral.

CAPÍTULO 4
Subjetividade e recepção

Nunca se entende tudo. Quando alguém
entende tudo, é porque ficou louco.
(Philip Anderson, físico)

Os estudos sobre as relações mídia–receptor são de difícil abordagem em seu conjunto. Para alguns, há fases distintas, cronologicamente marcadas, em que ora se privilegia, às vezes de forma bastante radical, os superefeitos da mídia sobre a sociedade, sendo o receptor visto como uma esponja que indiscriminada e descriteriosamente absorve o que recebe (sendo a falta de filtro na recepção de mensagens uma das principais características do mongolismo), ora se superdimensiona as prerrogativas do receptor de resistir, selecionar, negociar, barganhar e interagir com a mensagem mediática. Nesse último caso, a reconstrução da mensagem, como parte integrante da livre interpretação, ganhou tal importância nas análises científicas que o receptor, como objeto científico privilegiado, foi apartado da mensagem, ou seja, do real no processo comunicativo e, portanto, isolado da realidade (principal característica do autismo).

Denis McQuail (1994) distingue quatro fases na pesquisa científica sobre a mídia e suas relações com o receptor. Na primeira, até os anos 1940, atribuía-se aos meios de comunicação de massa grandes poderes para modificar atitudes e comportamentos. Na segunda fase, até princípios dos anos 1960, os meios de comunicação de massa eram considerados parcialmente ineficazes para modificar atitudes e comportamentos. A partir daí, redescobriu-se, em uma terceira fase, os poderes da mídia de construção e manipulação da realidade e de suas representações. A quarta fase, segundo McQuail, indica uma influência negociada dos meios. Este capítulo, de certa forma, constata essa evolução.

Para outros, como Bioca (1988), assiste-se nos últimos 40 anos a uma espécie de braço-de-ferro entre, de um lado, defensores de uma audiência[1] ativa[2], individualizada, infensa a influências, racional e seletiva e, de outro, partidários de uma audiência passiva, conformista, moldável, influenciável, vulnerável e vitimada. A audiência passiva seria composta por receptores que "raramente usam a mídia com algum objetivo específico, absorvem indiscriminadamente qualquer coisa que a mídia apresenta e podem ser mudados psicologicamente, socialmente e culturalmente pela mídia".

O psicólogo social Raymond Bauer foi o primeiro a falar em "audiência obstinada", que, mais tarde, eufemisticamente, passou a ser denominada "audiência ativa", com preocupações claramente ideológicas de valorização do indivíduo (central para as democracias liberais), do cidadão racional, livre, independente e, portanto, capaz de decidir sobre seus rumos, destinos e comportamentos. A audiência ativa seria composta por receptores "cognitiva e afetivamente envolvidos pelo conteúdo consumido e capazes de limitar intencionalmente os efeitos da mídia sobre eles" (Gunter, 1988, p. 108).

Não são poucos os que se opõem a essa idéia de uma postura ativa do receptor. Uma das críticas é a de que a possível demanda seletiva do receptor é condicionada pela oferta imposta pela mídia. A própria prerrogativa de selecionar depende da diversidade de mensagens ofertadas. "A seleção de fontes mediáticas e, portanto, a própria seletividade da audiência é", como explicam Levy e Windahl (1985), "condicionada pelo número de possíveis escolhas que um membro da audiência tem a sua disposição".

Nesse sentido, também os arautos do princípio da liberdade de comunicação propõem abundância de canais e máxima amplitude na possibilidade de escolha como condições primárias para uma sociedade democrática e livre. No entanto, nem sempre a diversidade de canais significa maior diversidade de mensagens e mais ampla oferta para o consumidor. Há que considerar, como aponta Litman (1979), a existência de dois tipos de diversidade: a vertical, referente ao número de opções oferecido por um único canal durante um espaço de tempo, e a diversidade horizontal, que enfoca toda a oferta de mensagens ao receptor em um determinado momento. Nesse segundo caso, se todos os canais disponíveis oferecerem no mesmo instante produtos parecidos, por exemplo jornais televisivos com grau de coincidência e consonância temática conhecidos, a exposição seletiva se operará em função de fatores que nada têm que ver com a liberdade democrática de escolha.

Para Levy e Windahl (1985), o mero incremento da oferta teria como efeito o aumento da seletividade, tornando a audiência mais ativa. Essa conclusão, exageradamente reducionista, desconsidera uma série de outros fatores (psicológicos, conscientes e inconscientes, de utilidade da mensagem para o receptor, de familiaridade com a mensagem gerada pela ritualização e dependência da recepção etc.) que atuam com maior ou menor intensidade junto à seletividade na recepção. Esses fatores serão analisados ainda neste capítulo, quando tratarmos da exposição seletiva.

Elisabeth Noelle-Neumann (1993) faz outras críticas à audiência seletiva: a rigor, o que ela denuncia são as diferenças do processo receptivo segundo as distintas características dos meios. No que concerne à exposição seletiva, a leitura de jornais, por ser uma recepção solidária, permite maior flexibilidade por parte do receptor e, portanto, uma seleção maior do que as mensagens televisivas recebidas quase sempre em grupo. Entretanto, a leitura dos jornais exige mais esforço e, conseqüentemente, maior motivação que a recepção televisiva. Assim, é mais provável que a recepção televisiva se dê mais por inércia, diferentemente da leitura, intrinsecamente mais exigente.

A rigor, esse cabo-de-guerra entre partidários da audiência ativa e passiva contribuiu, como veremos, para estruturar as posições dentro do campo acadêmico, ou seja, de um espaço social composto por dominantes e dominados em luta pela imposição da representação legítima (circunstancialmente dominante ou dominada, dependendo de quem a defenda) do que é o indivíduo, do que é o receptor, da passividade ou atividade da audiência etc., visando obter o monopólio tendencial dos bens em circulação nesse espaço, ou seja, os troféus próprios ao mundo acadêmico e universitário. Nesse antagonismo, o modelo dos efeitos limitados contribuiu, de forma decisiva, para a divulgação e conseqüente incremento da superfície de visibilidade acadêmica da "audiência ativa".

Em 1960, Klapper publicou *The effects of mass communication*. O autor faz uso das contribuições da psicologia social como base científica para condicionar e impor limites aos efeitos sociais da mídia.[3] A idéia central do autor se traduz na célebre frase: "A comunicação de massa não é uma causa suficiente e necessária dos efeitos na audiência, mas funciona através de uma miríade de fatores mediadores e influências" (Klapper, 1960, p. 8).

Assim, normalmente pode-se dizer que a comunicação de massa não é, por si só, suficiente para engendrar efeitos na audiência. Os efeitos sociais da mídia estariam determinados, segundo Klapper, por um conjunto funcional de fatores mediatizantes e influentes. Esses fatores fazem da comunicação de massa um estímulo co-agente e não uma causa única no processo de reforço das condições existentes. A mídia age sobre seus receptores, mas o faz associada a outros fatores. De acordo com o modelo dos efeitos limitados, a mídia provoca muito mais uma fixação do já existente do que modificações.

Essa limitação dos efeitos da mídia teria uma dupla causa: de um lado, a existência de uma rede de comunicações interpessoais que concorrem na produção e principalmente na difusão de informações e, de outro, os mecanismos seletivos que cada receptor coloca em prática e que condicionam a sua exposição, atenção, percepção e retenção da mensagem recebida.

O estudo dessas variáveis, segundo Elihu Katz (1957), está longe de ser total (recepção seletiva), direta (mediação interpessoal e percepção seletiva), imediata (tempo necessário para a mensagem percorrer o longo circuito de relações interpessoais). Marcando os limites da influência da mídia, as noções de seletividade individual e de mediações interpessoais abrem o campo da pesquisa para uma perspectiva teórica proveniente da psicologia social. Essas limitações aos efeitos sociais da mídia incidem sobre sua deontologia e sua ética.

Durante o apogeu das teorias da "agulha hipodérmica" e da "bala de canhão", que sustentavam a ocorrência de superefeitos sociais graças à manipulação absoluta do receptor por parte dos meios, o discurso dominante da ética preconizava a necessidade de um controle que serviria como um escudo protetor da sociedade. O receptor indefeso, à mercê de uma informação jornalística sem freios, carecia de proteção. No entanto, à medida que se desvendava a capacidade de autodefesa, de negociação, de resistência de barganha do receptor, o discurso da ética como escudo perdia sua razão de ser.

O receptor, na condição de ser inteligente e seletivo, não necessitava mais de tanta proteção externa. O discurso dominante de ética mediática, então, deixou de ser o do escudo e passou a ser o do controle de qualidade no mercado informativo. O receptor, para selecionar bem, necessitará, antes de tudo, de bons produtos disponíveis. Uma oferta de qualidade é condição necessária de uma seleção conveniente.

Assim, os conceitos de "objetividade", "profundidade", "diversidade temática", "sobriedade" (em relação ao "sensacionalismo"), do lado do produto, e de "utilidade", "seletividade", "busca de certeza", do lado do receptor, ganharam as páginas dos tratados de ética dos manuais de "bom jornalismo". Essa postura do discurso da ética de valorização do receptor caminhou paralelamente aos estudos sobre a recepção e mormente sobre seu processo seletivo.

O processo seletivo de recepção mediática é apresentado na doutrina como um filtro quadrifásico[4], ou seja, composto por quatro camadas sobrepostas e progressivamente seletivas: a exposição e a atenção seletivas (I), a percepção e a retenção seletivas (II).

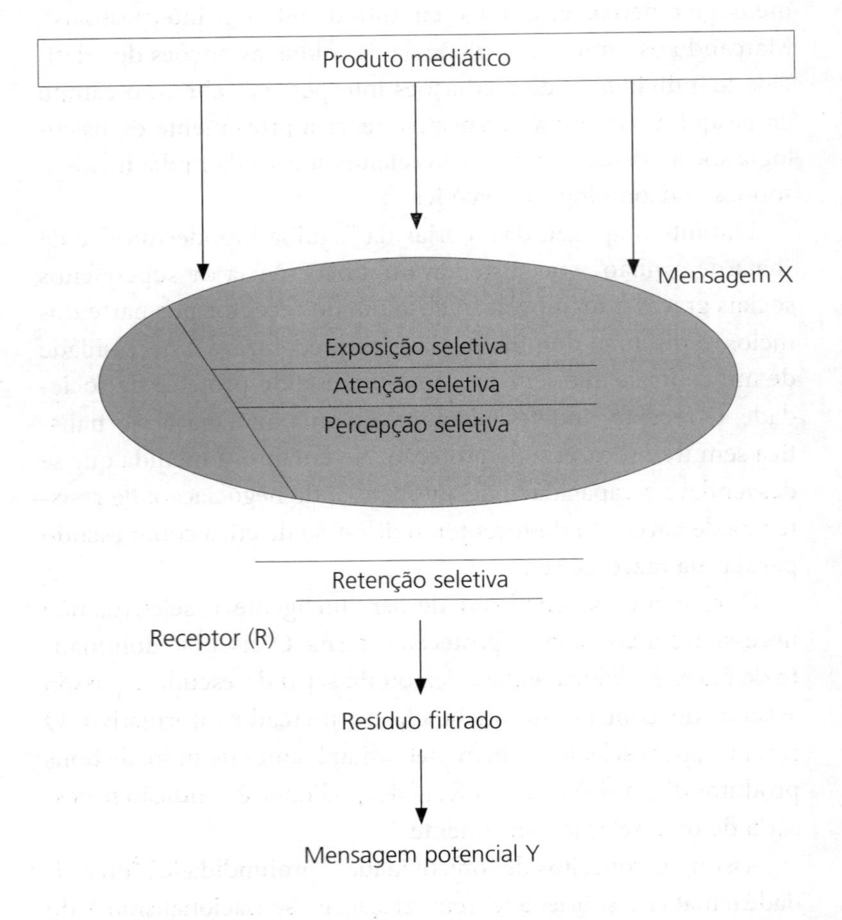

A metáfora do filtro, embora aparentemente atraente e comumente adotada, não nos parece conveniente. Em um filtro quadrifásico comum usado, por exemplo, em um processo de filtragem química, as quatro etapas de filtragem se sequenciam cronologicamente; as etapas anteriores (da parte de cima do filtro) condicionam o processo de filtragem das etapas posteriores (da parte de baixo do filtro). No processo seletivo da recepção não há essa rigidez na seqüência de etapas. É verdade que atenção, percepção e retenção seletivas são condicionadas pelas etapas que se apresentariam como anteriores num eventual sistema de filtragem. No entanto, essas fases também influenciarão os processos seletivos de suas fases anteriores, ou seja, a atenção condiciona a exposição, a percepção tem incidência sobre a exposição e a atenção, e a retenção sobre as três que lhes seriam anteriores.

I. EXPOSIÇÃO E ATENÇÃO SELETIVAS

O primeiro processo de seleção de uma mensagem mediática é a exposição seletiva. A exposição seletiva é a tendência que tem o receptor de se expor a produtos mediáticos que estejam de acordo com as estruturas de classificação do mundo social (geradoras de convicções e comportamentos) interiorizadas durante sua trajetória social. Ela permite o início do contato entre a mensagem e o receptor. Este abre ou não o jornal, liga ou não a TV ou o rádio, escolhe um canal ou muda de estação porque decide ou não se expor a um determinado produto mediático.

A condição básica (mas não suficiente) de qualquer processo comunicativo é a existência de um contato entre o indivíduo e a mensagem. Se a exposição é necessária, pode-se dizer que a seletividade é uma característica indissociável da exposição. Dado o número de mensagens (mediáticas ou não) que nos bombardeia (infinitamente superior à nossa capacidade de atenção, de percepção e de retenção), a seleção na exposição funciona como um escudo protetor para as demais fases do processo da recepção. Assim, pode-se dizer que toda exposição, seja ela mediática ou não, é por definição seletiva. Não há como se expor a mensagens sem eliminá-las em parte. Nesse sentido, sustentamos que o termo exposição seletiva (embora universalmente difundido) é pleonástico.[5]

Essa decisão, que pode anteceder o contato com o produto e que é confirmada ou não durante toda a recepção, se funda, como veremos, em expectativas já estruturadas em função de outras recepções do mesmo produto ou em função de comunicações interpessoais, por exemplo, sugerindo ou desaconselhando a recepção. O receptor constrói uma certa representação do produto que preexiste à percepção.

Por essa razão postula-se com freqüência[6] que, de forma geral, as comunicações atingem principalmente os já convencidos e menos aqueles que precisamente visavam convencer. Isso porque há por parte do receptor uma predisposição a se expor a mensagens que estejam em acordo com interesses e atitudes já existentes.

Muitos fatores atuam simultaneamente na exposição seletiva e fazem que um receptor específico selecione uma mensagem em detrimento da outra. Qualquer explicação exclusiva poderia reduzir a complexidade do problema, mas nos afastaria de uma explicação causal aceitável. Por isso, propomos uma combinação das hipóteses, que passamos a detalhar. No primeiro momento analisaremos a teoria da dissonância cognitiva e suas conseqüências (A) e, em seguida, trataremos dos outros fatores que influenciam a exposição seletiva (B).

A. A EXPOSIÇÃO DEFENSIVA E A DISSONÂNCIA COGNITIVA

A explicação mais comum nos livros que tratam do tema é a hipótese da exposição defensiva, ou seja, a seleção das informações que estejam de acordo com pontos de vista tomados e assumidos anteriormente. Diante de duas mensagens hipotéticas, a favorável (ou mais favorável) será selecionada em detrimento da não favorável (menos favorável).

O conceito de consonância cognitiva se fundamenta na idéia de que os seres humanos agem ou buscam agir de forma racional. Buscam por vezes racionalizar, na tentativa de explicar comportamentos irracionais. O processo de racionalização denuncia nosso desejo de parecer racionais para nós mesmos. A conclusão que algum comportamento ou ponto de vista assumido não foi racional traz tensão psicológica e conseqüente desconforto. Daí a busca permanente de redução da inconsistência. Só dessa forma poderíamos prever fenômenos em função de análises científicas. Procura-se organizar o mundo de maneira que seja coerente e significativo.

Essa hipótese de uma defesa de crenças, opiniões, comportamentos e decisões tomadas anteriormente fundamenta-se na teoria da dissonância cognitiva. Essa teoria foi sistematizada pela primeira vez por Leon Festinger em 1957. Qualquer receptor, diante de duas referências cognitivas incompatíveis (informações, crenças etc.), sentirá desconforto psicológico provocado pela dissonância cognitiva. Só a redução desta última poderia reduzir o desconforto e trazer gratificação.

Em um artigo posterior, Festinger e Carlsmith (1959) fornecem um clássico exemplo de dissonância cognitiva. O cidadão *A* se considera uma boa pessoa, sincera e honesta. Entretanto, *A* mentiu para *C*. A dissonância será inevitável em função de duas cognições opostas: (a) "Eu sou uma pessoa sincera e honesta" e (b) "Eu menti pra *C*". Incomodado pelo desconforto psicológico inerente a toda situação de dissonância, *A* procurará fazer algo para reduzi-la. Nesse caso, seria comum este tipo de racionalização: "Eu tive de mentir para não machucá-lo mais; é só uma mentirinha".

Para Festinger, uma forma de redução da dissonância é a exposição seletiva. No entanto, esta só seria eficaz em níveis moderados de dissonância. Em um primeiro caso hipotético, níveis mínimos ou nulos de dissonância não motivariam a exposição seletiva. Em uma segunda hipótese levantada por Festinger, níveis intermediários de dissonância levariam à busca de informação consoante.

Nesse caso, a busca da consonância incidiria diretamente sobre a exposição seletiva. Para evitar o desconforto o receptor se exporia seletivamente a determinados produtos e não a outros. No entanto, Festinger observa que, uma vez alcançado um certo nível de dissonância (terceira hipótese), inverte-se essa tendência e passa-se a buscar informação dissonante. Isso porque, quando o grau de dissonância é muito importante, a exposição seletiva seria insuficiente para reduzi-la. Assim, a busca da informação discordante pode forçar a mudança de uma das duas cognições dissonantes, reduzindo, dessa forma, a dissonância.

Essa ocasião da exposição seletiva como hipótese redutora da dissonância cognitiva foi comprovada por Rhine (1967) em estudo sobre a busca de informação durante as eleições presidenciais americanas. Rhine pesquisou o impacto de vários níveis de dissonância provocados por informações sobre os próprios candidatos ou os candidatos adversários. Assim, os partidários das candidaturas de Lyndon Johnson e Barry Goldwater foram confrontados com diferentes níveis de informações contraditórias sobre seus candidatos. Esses mesmos partidários/entrevistados escolheram panfletos favoráveis a uma ou outra das candidaturas. Os entrevistados confrontados com informações moderadamente dissonantes recorreram amplamente à exposição seletiva, enquanto nos casos de dissonância mínima ou exagerada a exposição seletiva praticamente não se verificou.

A redução da dissonância cognitiva na recepção da mídia significa evitar as informações dissonantes (desfavoráveis) e selecionar as informações consonantes (favoráveis), denominadas *supportive information* no jargão da psicologia cognitiva.

ESTUDOS SOBRE A *SUPPORTIVE INFORMATION*

Conforme explicamos, todo receptor, ao se expor à mídia, inexoravelmente seleciona e elimina mensagens. Numerosos estudos visaram verificar cientificamente a hipótese da busca da consonância. Sears (1967) constatou que vários desses trabalhos sobre a recepção da mídia pareciam dar apoio empírico à hipótese da seleção como defesa da consonância (seleção defensiva). Entretanto, observou que muitos outros obtiveram resultados menos conclusivos, se não claramente questionadores, da hipótese em questão.

O procedimento mais utilizado foi constatar a opinião do entrevistado sobre um tema qualquer e então verificar quais das mensagens oferecidas, quase sempre em forma de produto mediático, foram selecionadas e em que ordem. Era possível assim detectar se os entrevistados preferiam informação consonante com sua opinião ou não. Citaremos alguns desses trabalhos para que o leitor perceba que os resultados obtidos, em alguns casos, não ofereceram à hipótese um suporte empírico contundente.

Mills, Aronson e Robinson (1959) realizaram estudo no qual um grupo de alunos foi indagado sobre o tipo de exame que preferiam: múltipla escolha ou dissertação. Entre os que se manifestaram, parte do grupo optou por um tipo e outra pelo outro. Foram-lhes oferecidos, então, artigos de jornal sobre esses dois tipos de prova. Os alunos, para selecionar os artigos, dispunham apenas de seus títulos, já reveladores de argumentos claramente favoráveis a um dos dois tipos de exame. Os estudantes, em sua maioria, preferiram ler os artigos cujos títulos eram favoráveis ao tipo de exame que haviam escolhido.

A conclusões semelhantes tinham chegado anteriormente Lipset, Lazarsfield, Barton e Linz (1954). Analisaram o comportamento de receptor da mídia diante da propaganda política e concluíram que, na maioria dos casos, os consumidores se expõem com maior incidência a propagandas divulgadas por candidatos em que votariam ou com cujas idéias centrais concordam.

Também trabalhando a recepção e campanhas eleitorais, Freedman e Sears (1963) solicitaram a cidadãos votantes que escolhessem entre panfletos dos dois candidatos na contenda eleitoral de 1962. Entre aqueles que selecionaram o panfleto na primeira escolha, revelando um maior grau de certeza na seleção da mensagem, 58% escolheram o panfleto do próprio candidato. Os 8% acima da média que eram favoráveis à informação de apoio foram considerados cientificamente relevantes para a sustentação da hipótese.

Em estudo bastante similar, porém com conclusões mais afinadas, Lowin (1965) ofereceu a cidadãos que compunham uma criteriosa amostragem quatro discursos políticos de campanha de dois candidatos a uma eleição presidencial. Os entrevistados escolheram os discursos que apresentavam a argumentação mais contundente e favorável a seus candidatos. Os resultados foram ainda mais conclusivos: no que tange aos argumentos de menor solidez, os eleitores preferiram ler os comentários sobre os candidatos adversários aos de sua preferência. A leitura seletiva desses argumentos também indica a preferência por mensagens consonantes, porque o que se busca na argumentação é a sua debilidade, é racionalizar as causas de uma não-adesão, ou seja, da adesão a argumentos contrários.

Em outro estudo, Brock e Balloun (1961) constataram que, em condições de dificuldade na recepção da mensagem, os fumantes esforçavam-se para melhorar as condições de escuta de um comentário que questionava o consumo do tabaco como causa de câncer do que de outro que sustentava essa relação tabaco–câncer. Já os não-fumantes operaram a seleção (nas mesmas condições de dificuldade de recepção) de forma inversa. A rigor, esse esforço a que se refere o estudo, necessário em função do ruído na comunicação, não altera a exposição seletiva. O que se exige do receptor são índices de atenção superiores aos normais para que a mensagem, ainda que perturbada pelo ruído, possa ser compreendida.

Entretanto, não são poucos os estudos que apresentam resultados nos quais a busca de consonância cognitiva (por meio da busca da *supportive information*) na recepção mediática não se verifica. Em alguns casos porque não houve, diante do estímulo da mensagem, nenhum tipo de seleção (desinteresse tanto por informações concordantes quanto por discordantes). Ou então porque houve seleção de mensagens preferencialmente discordantes.

Na tentativa de detalhar as generalizações operadas por Festinger na teoria da dissonância cognitiva, Cannon (1964) observa que a autoconfiança relativiza os efeitos de exposição seletiva em caso de dissonância. Uma pessoa confiante, segura de suas opiniões, poderá deliberadamente selecionar informações discrepantes com o intuito de refutá-las.

O primeiro a estudar a exposição seletiva de fumantes e não-fumantes diante de mensagens sobre câncer de pulmão foi Feather (1962). Solicitou a uma amostragem de estudantes universitários que classificasse, em ordem de preferência, duas séries de artigos de revista. Em uma primeira série, um dos artigos se intitulava "Fumar dá câncer de pulmão"; na segunda série, esse artigo foi substituído por outro intitulado "Fumar não dá câncer de pulmão". Depois de coletado o *ranking* de preferências, os estudantes se identificaram como fumantes ou não-fumantes. Feather constatou que os fumantes se mostram igualmente desinteressados pelos artigos sobre o fumo, independentemente das informações neles contidas.

Em outro interessante estudo empírico, Jecker (1964), trabalhando com estudantes universitários, pediu-lhes que escolhessem parceiros com quem gostariam de jogar contra outros adversários por prêmios em dinheiro. Operada a escolha, foram-lhes passadas informações sobre características de personalidade dos parceiros e dos adversários. Essa informação sobre cada jogador foi classificada em favorável e desfavorável e redistribuída. Contrariamente às previsões de Festinger, foram lidas com igual interesse (avaliado pelo tempo consagrado à leitura de cada informação) as informações redutoras de dissonância e as informações não-redutoras.

O balanço final dessa pequena amostra de estudos empíricos feitos sobre a hipótese da dissonância cognitiva nos faz constatar que em muitos casos ela se verifica de forma incontestável e em outros não. Isso ocorre fundamentalmente em função de dois fatores: de um lado, a indução a que são submetidos os entrevistados em estudos empíricos nos quais se parte de uma hipótese a demonstrar e, de outro, a constituição das amostragens.

No que concerne à indução, Rosenthal (1969) constata que há uma tendência dos entrevistados em responder de acordo com as expectativas profundas dos pesquisadores. Também observa Kapferer (1978) que "a influência do pesquisador nos resultados de uma experiência não pode ser esquecida: é bastante conhecido em psicoterapia, por exemplo, que, em função da orientação do psicólogo (freudiano ou junguiano) o conteúdo do discurso e mesmo dos sonhos do paciente varia".

Quanto aos universos estudados, como bem indica Kapferer, os grupos sociais escolhidos, na quase totalidade dos estudos, apresentam um capital escolar elevado e, portanto, são mais tolerantes, afeitos e receptivos a informações dissonantes ou, pelo menos, à ambigüidade informativa. Em muitos dos estudos, os entrevistados pertenciam ao meio universitário, onde diariamente o estudante está exposto ao debate de idéias, a distintas interpretações de um mesmo fenômeno, a teorias opostas e contraditórias. "A microcultura universitária é uma das raras situações onde a exposição sistemática a pontos de vista controversos é, mais que recomendada, recompensada. A universidade é uma situação de abertura de espírito, ou seja, de exposição a uma larga amostragem de opiniões" (Kapferer, 1978, p. 101). Para Rosenberg (1969), o contexto universitário poderia levar alguns a se comportarem como "bons" entrevistados, em função da remuneração social/universitária que representa a busca da diversidade.

Complementariamente a essas observações sobre as características e regras sociais de boa conduta do meio a que pertencem os entrevistados, observo que, em alguns casos, a informação dissonante representa uma novidade, uma alternativa (desconhecida e, portanto, possivelmente atrativa) à informação consonante.

Essas críticas de cunho epistemológico questionam a validade tanto dos estudos cujos resultados comprovam a hipótese da dissonância cognitiva como daqueles que, com maior ou menor contundência, não a confirmam. No entanto, ainda que esses senões de método não existissem, os resultados obtidos nos fazem crer que, além da busca da redução da dissonância, outros fatores incidem sobre o processo de seleção de mensagens na exposição.

B. OUTROS FATORES CONDICIONANTES DA EXPOSIÇÃO SELETIVA

Sem pretensão de exaustividade, analisaremos os seguintes fatores que condicionam a exposição seletiva: a utilidade da informação para o receptor, a intencionalidade seletiva como conseqüência de características da personalidade do receptor, a familiaridade ou o envolvimento decorrente da ritualização da recepção de certos produtos mediáticos e o conseqüente acordo prévio que existe entre informação e expectativa de informação (*fact selective exposure*).

A UTILIDADE DA INFORMAÇÃO

A preocupação com a utilidade da informação representou uma sensível alteração no rumo das pesquisas de comunicação de massa. A interrogação central deixou de ser "O que a mídia faz com o receptor?" (que corresponderia ao estudo dos efeitos sociais da mídia) e passou a ser "O que o receptor faz com a mídia?" (que corresponde ao estudo dos usos e gratificações que encontra o receptor em consumir este ou aquele produto mediático a ele oferecido). Trata-se de uma concepção menos passiva da audiência, em que a recepção não é vista como um processo de dependência maquinal e sim de busca de prazer e satisfação.

Nesse sentido, Davison (1959) observou que a "audiência é composta por indivíduos que têm demandas, que solicitam algo da comunicação à qual estão expostos e que selecionam aquelas que podem lhes ser úteis. Em outras palavras, eles necessitam obter algo do manipulador, se este quiser obter algo deles. Trata-se de uma barganha".

Essa nova perspectiva, a rigor, não escapa à lógica concorrencial do campo acadêmico como espaço de luta social pela imposição (academicamente interessada) da representação legítima da mídia (do "melhor" método científico para estudá-la), da sua relação com o receptor, da atividade ou passividade da audiência e, em termos mais gerais, do próprio objeto da teoria da comunicação. Centrar a análise científica sobre o receptor e suas prerrogativas no processo da recepção é contribuir, por exemplo, para deslegitimar a extensa doutrina sobre mídia como manipuladora ou mesmo construtora da opinião pública. A seguinte observação de Bryant e Street (1988) é reveladora dessa preocupação referencial das análises científicas: "A noção do comunicador (receptor) ativo está rapidamente adquirindo *status* de proeminência na disciplina da comunicação".

Elihu Katz (1959), respondendo a Berelson (1959), negava a morte das pesquisas em comunicação de massa, citando uma série de estudos sobre a utilidade que tinha a mensagem mediatizada para os receptores. Curiosamente, o principal estudo entre os citados por Katz, do próprio Berelson, procurava descobrir as principais necessidades dos consumidores de jornal que haviam sido desatendidas durante duas semanas de greve de entregadores de jornal em Nova York. O autor concluía que a incômoda busca de outras fontes de informação, a obrigação social de ler um jornal (ligada ao prestígio social de consumir este ou aquele produto) e, conseqüentemente, de sentir sua ausência, e a falta de diversão e entretenimento foram os itens mais mencionados pelos entrevistados.

A análise da utilidade da mensagem mediática para o receptor e do proveito que ele obtém desse consumo tirava a exposição seletiva de uma perspectiva estritamente defensiva. Dessa forma, as estratégias de seleção de informação não corresponderiam necessariamente a uma proteção de pontos de vista, opiniões, gostos e hábitos já incorporados e, sim, repousariam na expectativa de utilidade, prazer e satisfação que uma eventual recepção poderia trazer. O gráfico abaixo elucida a relação dos usos dos meios com os processos seletivos da recepção.

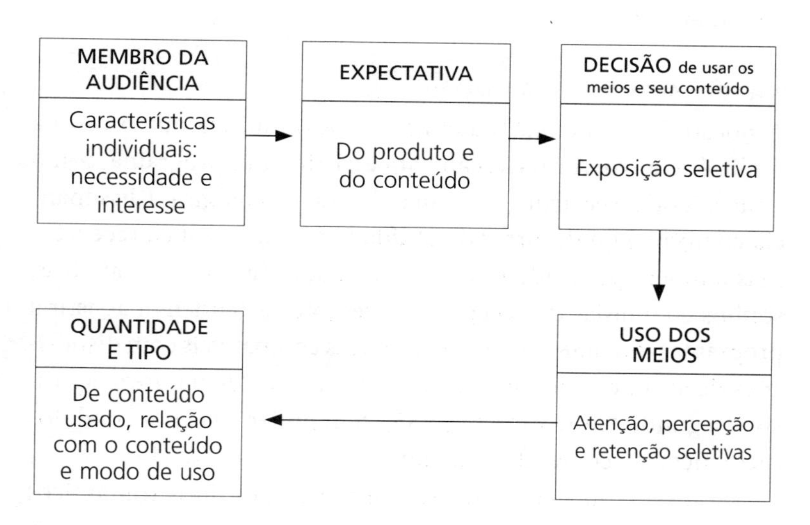

Segundo os críticos dessa seleção utilitária, a maioria dos estudos sobre as gratificações do receptor proporcionadas pela recepção carecem de interesse científico para a análise da exposição seletiva. Ao tratar do consumo deste ou daquele meio em geral ("assisto televisão para me informar", ou "para me divertir"), desconsidera-se a variedade de possibilidades que tem o receptor dentro de um mesmo horário. Cada uma dessas necessidades poderia ser satisfeita com distintos produtos, similares e concorrentes, ofertados ao receptor.

Nessa perspectiva funcional, Katz (1968) conclui que a utilidade da informação deveria ser um dos principais determinantes da exposição seletiva. Seja no desempenho de suas tarefas diárias (um bombeiro terá enorme tendência a ler matérias sobre incêndios), seja no exercício de um papel social (mãe de criança pequena tende a selecionar artigos sobre doenças infantis ou vacinação), a utilidade específica de cada seleção na exposição. Se a seleção utilitária indica uma intenção do receptor em buscar satisfazer uma necessidade, muitas vezes essa intencionalidade é decorrente de características da personalidade de cada receptor, ou do envolvimento que tem o receptor com o conteúdo do produto oferecido.

INTENCIONALIDADE E ENVOLVIMENTO

A noção de intencionalidade na recepção ratifica que o uso da mídia é seletivo. A motivação para assistir a um programa, como vimos, pode ser fruto de uma defesa psicológica (dissonância cognitiva) ou decorrer da utilidade que apresenta a recepção, mas também pode advir da personalidade, de carências afetivas, sonhos e fantasias do receptor. Os receptores tendem a assistir a programas de conteúdo e características compatíveis com disposições de atitude e comportamento. Indivíduos de natureza agressiva, segundo Gunter (1983, 1985), têm preferência por produtos mediáticos de conteúdo violento.

Da mesma forma, a preferência por filmes ditos românticos também encontra origem em estruturas cognitivas, avaliativas e, neste caso, sobretudo afetivas armazenadas durante a trajetória social do receptor. A afetividade como fator de seleção das mensagens mediáticas terá maior ou menor incidência em função do envolvimento do receptor com distintos elementos que consistem o produto. Tem-se a expectativa (cuja reconstrução se dá simultaneamente à recepção) de que o produto mediático selecionado satisfará esta ou aquela carência afetiva.

EXPOSIÇÃO E EXPECTATIVA

O processo de seleção na exposição começa antes do contato do produto mediático com o receptor. Para que a exposição se inicie, é necessária uma motivação (positiva, ou seja, intenção de expor-se ao produto, ou negativa, ou seja, falta de intenção de fazer qualquer outra coisa). Essa motivação, por sua vez, é condicionada por uma expectativa que se tem do produto, ou em função de comunicações interpessoais, ou qualquer outro referencial como o horário de transmissão, o título da matéria ou o nome do programa etc.

Uma vez iniciada a recepção, essa representação vai se alterando à medida que o processo de reconstrução mental da mensagem (inerente e simultâneo à recepção) se desenrola, gerando novas expectativas quanto à seqüência do produto. Essa expectativa, redefinida a cada instante, pode gerar desde grande desconforto psicológico, caso em que a interrupção da exposição é muito provável, até uma gratificação superior à que era esperada antes do início da exposição, caso em que a exposição tende a prosseguir.

No caso do desconforto, o surgimento do controle remoto, por exemplo, tornou a exposição seletiva mais ágil, permitindo uma busca mais rápida de gratificação. No entanto, entre esses dois extremos (desconforto e gratificação) há uma gama de situações intermediárias, nas quais a recepção de um mesmo produto apresenta momentos de maior ou menor gratificação e momentos de maior ou menor desconforto.

Todos esses aspectos, como a utilidade envolvendo uma motivação, a intencionalidade, a afetividade, a expectativa, se apresentam como fatores condicionantes da exposição seletiva. Todos eles se fundamentam na idéia de que a exposição envolve uma escolha, uma preferência. Não são poucos os estudos, no entanto, que criticam essa associação tão imediata. Como observam Webster e Wakshlag (1985), "a validade de usar a preferência como medida da exposição, ou a exposição como medida da preferência, depende da força da associação entre esses fatores".

Resultados cientificamente consideráveis, obtidos por Gensch e Shaman (1980), apontam que a disponibilidade do receptor incidiria sobre a exposição seletiva de maneira mais direta do que um eventual elemento volitivo. Uma partida de futebol, transmitida em horário de trabalho, por mais decisiva que seja, será inassistível para muitos.

Da mesma forma, Webster e Wakshlag (1982) denunciam a necessidade do estudo do processo de decisão visando a seleção deste ou daquele produto mediático, no caso (muito freqüente) da exposição coletiva à mesma mensagem. A discussão em família sobre o que assistir pode revelar intenções distintas, expectativas e graus de envolvimento distintos sobre este ou aquele programa ou protagonista etc. A seleção do programa, nesses casos, certamente agradará a uns e desagradará a outros. O comportamento dos que se sentem desagradados é particularmente interessante no que concerne à seqüência da recepção. Quais as razões de um eventual prosseguimento de exposição? Qual o grau de atenção, percepção e retenção alcançado diante de uma situação de exposição inicialmente indesejada? Esses são temas férteis para estudos científicos e trabalhos acadêmicos.

Um terceiro elemento, apontado por vários estudos de oferta de programação em relação ao tipo de consumo (como o de Barwise, Ehrenberg e Goodhardt, 1982) que condicionaria a exposição e relativizaria (não por completo) a importância da preferência do receptor é a oferta de produtos disponíveis no mercado mediático em determinado tempo e lugar. Em função desse condicionamento da oferta, os receptores estariam expostos preferencialmente a comunicações favoráveis, menos por qualquer preferência ou vontade, mas porque são essas comunicações as mais oferecidas ao receptor.

Sears (1968) denomina esse condicionamento da oferta de "exposição de fato", sublinhando que a exposição às informações dissonantes é improvável, mesmo porque estas são raras em relação às consonantes. Essa tese parte do pressuposto de que as pessoas, por estarem num mesmo meio social, tendem a conhecer as mesmas coisas, também em função de uma exposição a mensagens mediáticas bastante homogêneas.

Entretanto, se a exposição seletiva é, de certa forma, pasteurizável, em função de sua homogeneidade determinada pela oferta de mensagens, seguramente os demais processos da recepção denunciarão sua singularidade em relação a cada receptor. Somos assim remetidos ao que comumente se considera o segundo processo seletivo da recepção: a atenção seletiva.

ATENÇÃO SELETIVA

Para que o receptor possa contar ou discutir sobre aquilo que viu, ouviu ou leu (ou seja, para que atinja níveis de percepção e retenção que satisfaçam as necessidades cognitivas, avaliativas e afetivas que motivam uma exposição seletiva determinada), é necessário que o seu contato com o produto mediático (ou seja, a exposição) seja marcado por níveis de atenção satisfatórios (que variam em função do conteúdo da mensagem, do receptor, das condições em que ocorre a exposição etc.).

Apresentaremos a atenção seletiva como processo integrado à exposição. Esta interdependência poderá surpreender o leitor acostumado a analisá-las separadamente. Há que considerar que não estamos propondo nenhuma fórmula revolucionária. A atenção seletiva, para autores como Bechtel, Achepohl e Akers (1972), é apenas um dos aspectos da exposição seletiva. Para esses e outros teóricos da comunicação, como Clarke e Kline (1974) e Miller e Cannell (1977), a noção de exposição como simples escolha da mensagem mediática, seja ela anterior à própria exposição, seja simultânea, tem interesse científico reduzido. Isso porque o receptor, ao conferir índices mínimos de atenção a uma mensagem, vê sua exposição definitivamente comprometida. Seria portanto descabido apartá-las como se fossem fases distintas de um processo.

Essa dificuldade que têm os estudiosos da recepção em precisar o processo da atenção durante a exposição é, de certa forma, reflexo da dificuldade que tem a própria psicologia (ciência que tem mais diretamente a atenção como objeto de estudo) em delimitar seus contornos e divisar seus limites em relação a outros processos da psicologia cognitiva. Isso se dá, entre outras razões, em função da dificuldade de generalizar para qualquer situação real os resultados obtidos em estudos de laboratório.

Para Hebb (1971), a atenção é "um estado ou uma atividade do cérebro que predispõe o indivíduo a responder a uma parte ou aspecto do ambivalente, em lugar de fazê-lo em relação a outro". Dessa definição surgem dois aspectos que são intrínsecos à noção de atenção: de um lado a seletividade, de outro a vigilância. Esses dois aspectos aparecem ainda com maior clareza quando se concebe a atenção como uma atividade do processo de mediação que sustenta os efeitos centrais do evento sensorial, com implicação de seletividade.

Quando o receptor confere atenção a um produto mediático qualquer, ele o está fazendo em detrimento de outros "eventos sensoriais". A atenção, dessa forma, é um fenômeno estruturalmente seletivo. Norman (1969) observa que a atenção é uma alocação seletiva de esforço no tratamento da informação. Além da seletividade e da vigilância, destacamos nessa definição o aspecto da intensidade.

A seletividade na atenção significa que, a qualquer momento, um outro estímulo pode ser objeto de tratamento da informação. Podemos dizer que o produto mediático ao qual se expõe está em competição com outros eventos e, conseqüentemente, com outros focos pela atenção do receptor. Assim, diante da televisão[7], o receptor tem outros focos de atenção possíveis, como os demais telespectadores, o telefone e toda atividade própria do ambiente doméstico. A exclusão é necessária. A atenção simultânea é uma ilusão.

Descobriu-se, em experiências realizadas com felinos, que a exposição a estímulos simultâneos não acarreta a atenção simultânea. Apenas um deles, o de maior interesse para o sujeito, terá acesso ao sistema. Os demais serão inibidos. A aparência de simultaneidade se deve à possibilidade de que, num espaço curtíssimo de tempo, vários estímulos, possivelmente bastante distintos, sejam processados.

A impressão de que é possível assistir TV e ler um livro mantendo a atenção em ambos é equivocada. Esse equívoco comum se deve à alta velocidade com que se pode alterar o foco de atenção, em seqüências temporais, de um para outro elemento da realidade a que se está exposto.

O segundo aspecto da atenção que citamos, o da vigilância, nos remete ao tema da exposição automática (tipo ideal de não-vigilância). Não raro, receptores usam a mídia como "pano de fundo" para outras atividades. Por exemplo: ouvir rádio lavando louça, assistir TV cortando as unhas dos pés, folhear o jornal tomando café da manhã etc. Para Donohew, Nair e Finn (1980), poderíamos comparar esse tipo de receptor ao piloto automático de um avião. A rigor, nosso sistema cognitivo está sempre pronto para alterar o foco de atenção, na ocorrência de um estímulo que o provoque.

O terceiro aspecto da definição de atenção que destacamos é a intensidade. Esta não nos deixa esquecer que a atenção é uma questão de grau. Enquanto na fase de exposição seletiva abre-se ou não o jornal, muda-se ou não de canal, liga-se ou não o rádio (ou seja, em relação a uma mensagem específica, só há duas opções: expor-se ou não a ela), a atenção caracteriza-se pela permanente oscilação, em níveis os mais variados, podendo o receptor atingir picos de atenção e de desatenção em curtíssimos espaços de tempo. Não se trata, como na exposição, de prestar ou não atenção, e sim prestar certo grau de atenção. Se um receptor assiste a um jornal televisivo durante um quarto de hora, ele ocupará, durante esse período, um número infinito de posições na escala da atenção em função do tempo de exposição.

Da mesma forma que nos perguntamos sobre o que provoca no receptor a seleção deste ou daquele produto mediático, caberia indagarmos sobre o que faz que o indivíduo, diante de um produto mediático qualquer, preste mais ou menos atenção. A rigor, todos os elementos que influem na exposição seletiva também contribuem para explicar a seleção na atenção. Presta-se atenção defensivamente, procurando evitar a dissonância, buscando a utilidade da informação e a certeza do que ocorreu, e também em função de intencionalidade e envolvimento.

Além desses elementos, acrescente-se a compreensão como fator determinante na atenção seletiva e, conseqüentemente, na exposição. Nesse sentido, Anderson e Lorch (1979) observam que a atenção aos meios de comunicação de massa é determinada pela compreensão. Diante de um aparelho de televisão, qualquer telespectador terá maior tendência a conferir altos níveis de atenção seletiva quando a mensagem veiculada pela mídia está sendo compreendida. A não-compreensão seqüenciada reduz o interesse e a motivação, fazendo que outros focos de atenção se tornem mais atrativos.

Como vimos, o receptor pode se expor ou não ao produto mediático. Ocorrendo a exposição, haverá maior ou menor oscilação na atenção. Na seqüência desse processo da recepção surge a compreensão (percepção) seletiva dos distintos elementos da mensagem.

II. RECEPÇÃO E PERCEPÇÃO

Estamos analisando as distintas etapas que tornam a recepção um processo subjetivamente marcado. Haverá necessariamente diferenças de seleção em cada uma das etapas (no caso de receptores de uma mesma mensagem), mas logicamente haverá pontos em comum, coincidências que permitirão, como veremos, as comunicações interpessoais sobre os temas veiculados. Estudaremos, primeiro, a percepção e a retenção seletivas (A) e, em seguida, a recepção como interação ou consumo (B), isto é, em que medida a recepção vai mais além de uma simples seleção de elementos da mensagem e passa a ser vista como um processo de negociação que não só classifica o receptor, como o faz existir socialmente.

A. PERCEPÇÃO E RETENÇÃO SELETIVAS

A terceira camada (para nós, segunda, uma vez que integramos a atenção à exposição) do que se entende por filtro seletivo da recepção é a percepção seletiva dos distintos elementos que compõem o produto. Berelson e Steiner (1964) definiram a percepção como um processo complexo pelo qual as pessoas selecionam, organizam e interpretam estímulos sensoriais num quadro coerente de sentido. Diretamente dependente da percepção seletiva está a retenção seletiva, que é a capacidade de *recall* (chamar na memória) certos segmentos da mensagem veiculada e não outros. Ela dará o substrato final desse filtro, o que poderá ser novamente codificado em comunicações interpessoais. É esse substrato que codificamos ao relatar a nossos interlocutores o que assistimos, lemos ou ouvimos.

Da mesma forma que na atenção seletiva, são vários os fatores que determinam o armazenamento da informação recebida. Entre eles mencionamos as condições em que se deu a exposição, o veículo da informação e a compreensão mais ou menos perfeita da mensagem. Analisaremos na seqüência esses três fatores. A rigor, percepção e retenção apresentam tantos pontos de interdependência que consideramos oportuno abordá-las em conjunto.

Longe de ser o único fator a incidir sobre a memória, a busca da consonância cognitiva também condiciona a retenção ou não de informação. Muito antes de Festinger desenvolver a teoria da dissonância cognitiva, Bartlett (1932) demonstrou que a seleção na retenção se dá privilegiando elementos mais significativos em detrimento dos mais discordantes ou culturalmente distantes. Como observa Mauro Wolf (1987), "os aspectos coerentes com as próprias opiniões e atitudes são melhor memorizados que os outros, e essa tendência se acentua à medida que passa o tempo de exposição à mensagem".

No que tange ao veículo, foram realizados estudos sobre a retenção de informação difundida pela imprensa, rádio (Larsen [1983], Schneider e Laurion [1993]) e televisão. Quanto a esta última, Graber (1990) observa que a informação envolve mais que conteúdo verbal. Som e imagem são simultâneos, complementares e reciprocamente interferentes. A retenção tende a aumentar quando há estreita interdependência e adequação entre o visual e o auditivo, por exemplo quando o vídeo elucida com exatidão e clareza o que está sendo descrito pelo repórter.

Entre as notícias com imagem, Newhagen e Reeves (1992) demonstram que a retenção será maior quando a imagem provoca impacto e ruptura emocional. O efeito da imagem sobre a retenção não se limita, segundo autores, à notícia correspondente. A intensa emoção interrompe a seqüência do trabalho de retenção, provocando uma espécie de amnésia retroativa em relação às informações anteriores ao impacto. Em contrapartida, as que lhe são posteriores têm altos índices de retenção. O impacto serve como um esquema organizacional da memória seletiva.

Além da retenção defensiva e do veículo, não há dúvida de que a retenção é decisivamente condicionada pela percepção da mensagem. A percepção seletiva, por sua vez, também será determinada pelas condições em que se verificou a recepção, uma vez que sem exposição não há recepção e, dependendo das oscilações de atenção nos diferentes momentos de difusão do produto, a percepção também se altera. Perceber seletivamente é atribuir sentido a uma parte do todo. Na recepção da mídia isso se dá em função de fatores como referenciais cognitivos, competência específica para interpretar um assunto, expectativas culturais, necessidades, vontades, atitudes etc.

Mas o que é e onde está esse sentido? Como observam McQuail e Windahl (1993), essa pergunta tem sucitado respostas muito distintas. Para Brandsford, McCarrel e Sketch (1974), o grau de avanço científico nesse tema é reduzido. Depreende-se do que já explicamos que, para muitos, partidários dos efeitos ilimitados, o significado independe, ou depende minimamente, do receptor (audiência passiva). Tudo está na mensagem ou no veículo, ou seja, na codificação. Inscrevem-se nessa tendência todas as explicações que se servem da metáfora da entrega, do fio telegráfico, dos modelos matemáticos etc.

Para outros, o sentido não é uma característica do discurso ou da imagem constitutivos do produto mediático e sim uma qualidade atribuída ao produto por agentes que o interpretam. Deve, portanto, ser definido em termos relacionais e não em termos essenciais, não pelas suas características intrínsecas e sim por sua posição dentro do sistema de produção de sentido como um todo. Essa dicotomia também é didaticamente apontada por Jensen (1991), entre muitos, em um de seus estudos sobre o discurso e a recepção.

Se a noção de sentido não é pacífica em doutrina, a atribuição de sentido a uma mensagem específica é tema ainda mais resvaladiço. De forma geral, os autores costumam avaliar a compreensão em função da coincidência entre o sentido da mensagem atribuído pelo codificador e aquele conferido pelo receptor. A grande dificuldade é verificar qual a medida dessa compreensão. Toda tentativa de mensuração do entendimento da mensagem necessariamente é feita após a recepção. A rigor, dependendo do tempo transcorrido do término da recepção até a medida da compreensão, o que se constata é menos a percepção da mensagem e mais a retenção de seus diversos elementos, ou seja, o que se conservou na memória do receptor.

Os fatores mais comumente citados que influenciam a seleção dos elementos percebidos de uma mensagem foram bem resumidos por Kapferer (1978, p. 155):

> A compreensão de uma mensagem é função da velocidade de apresentação, dos veículos (auditivos, visuais ou audiovisuais), da simplicidade dos argumentos e do seu número, da redundância das mensagens. A compreensão também é favorecida quando o comunicador se serve de signos familiares à audiência: é importante que esses signos pertençam ao universo cultural da audiência.

Esses elementos nos indicam que a percepção é também um processo cultural e, como tal, socialmente condicionado. Por isso pode-se observar que algumas constantes na percepção de mensagens mediatizadas de indivíduos pertencentes a grupos com características sociais específicas.

PERCEPÇÃO E VARIÁVEIS SOCIOLÓGICAS

Os estudos realizados sobre a compreensão de informação veiculada pela mídia nunca puderam distinguir com clareza os processos de percepção e retenção. Quando o receptor é perguntado após a recepção, suas respostas indicarão, além de sua percepção das distintas informações recebidas, a retenção seletiva das mensagens. Nada nos garante, no entanto, que, havendo compreensão, haverá estocagem da informação com possibilidade de *recall*. Vários estudos realizados por Belson nas décadas de 1950 e 1960, reunidos no livro *The impact of television* (1967), enfocam a retenção da informação em recepção radiofônica e televisiva da BBC. Em uma das pesquisas, a mais citada delas, Belson avaliou a compreensão e retenção do programa *Topic for the Night*.

Os resultados indicam algumas constantes que se concentram em função variáveis sociológicas específicas. Os índices de compreensão variaram mais diretamente em função do grau de instrução, avaliado aqui pela trajetória escolar. Maior a probabilidade de uma compreensão adequada da mensagem quanto mais alto for o tempo de escolaridade. O que chama a atenção em seu estudo, no entanto, é que respondentes com nível superior completo, em condições ótimas de recepção, compreendem apenas 50% das mensagens veiculadas.

Esse estudo apresenta pelo menos um problema metodológico grave. Quais os critérios que permitem classificar a recepção desta ou daquela mensagem como compreendida ou não? O que significa compreender? O autor não é convincente. Serviu-se, evidentemente, da capacidade de *recall* e de reprodução da mensagem por parte do respondente, e comparou esse *recall* com a mensagem originariamente veiculada.

Nesse caso, o autor está avaliando não só a compreensão, mas também a atenção e a retenção (partindo do pressuposto de que houve a exposição), sem a possibilidade de discriminar a incidência de cada uma delas. A reprodução imperfeita da mensagem por parte do respondente será fruto de uma incompreensão, de insuficiência de atenção ou de incapacidade de retenção?

O mesmo autor realizou vários outros estudos procurando associar variáveis sociológicas como sexo, idade, grau de instrução e, sobretudo, ocupação profissional, à percepção seletiva, obtendo resultados de relevância científica bastante desigual.

Na mesma linha de pesquisa, Trenaman (1967) observou que, entre as variáveis comumente estudadas (profissão, sexo, idade, escolaridade, classe social), as que menos incidem sobre a compreensão são sexo e idade. As diferenças constatadas entre homens e mulheres, bem como a relativa redução da compreensão de respondentes acima de 60 anos e abaixo de 15, coincidem com a menor presença de indivíduos pertencentes a esses universos nos postos profissionais de maior relevância social. Tentamos evitar reproduzir as classificações por letra e número que os autores fizeram de seus grupos de respondentes porque não explicamos a metodologia empregada na pesquisa.

Mais recentemente, Stauffer et. al (1980) testaram a capacidade de *recall* (recuperação em memória) de universos de nível de instrução heterogêneos. Foram entrevistados analfabetos, estudantes do ensino médio, estudantes universitários e adultos alfabetizados e graduados, já fora da escola. As notícias, que haviam sido gravadas quatro meses antes, eram exibidas aos distintos grupos em condições ótimas de recepção. Depois de ouvir atentamente a gravação, sem advertência prévia sobre as perguntas que sobreviriam, os pesquisados se submeteram a um teste de memória em duas fases: primeiro, classificar em tópicos os temas das notícias de que lembrassem e, segundo, responder a 15 testes de múltipla escolha sobre o conteúdo das informações.

Stauffer observou que a capacidade de *recall* na avaliação espontânea (primeira etapa) atingiu índices mais altos, em média, entre os respondentes de nível de escolaridade mais alto (ver gráfico a seguir). Dos 13 temas tratados nas informações, os estudantes universitários lembraram-se em média de 6 (ou seja, 46% de recuperação em memória livre). Foram seguidos pelos adultos *out of school*, com 3,4 itens (26%), pelos alunos de ensino médio, com 3,2 itens (25%), e finalmente pelos adultos analfabetos, com 2,8 itens (22%). O teste de múltipla escolha apresentou resultados semelhantes.

Observa-se que a imensa maioria dos entrevistados, nos minutos seguintes à recepção, conseguiu reter apenas um quarto dos temas tratados. O gráfico ilustra a relação do capital cultural com a retenção de informação. Chama atenção a pouca evolução da retenção informativa do analfabeto ao estudante do ensino médio. O *recall* parece surgir no momento em que efetivamente se incrementa o consumo informativo, ou seja, a partir dos 18 anos. A prática da recepção desenvolve a capacidade de retenção das informações.

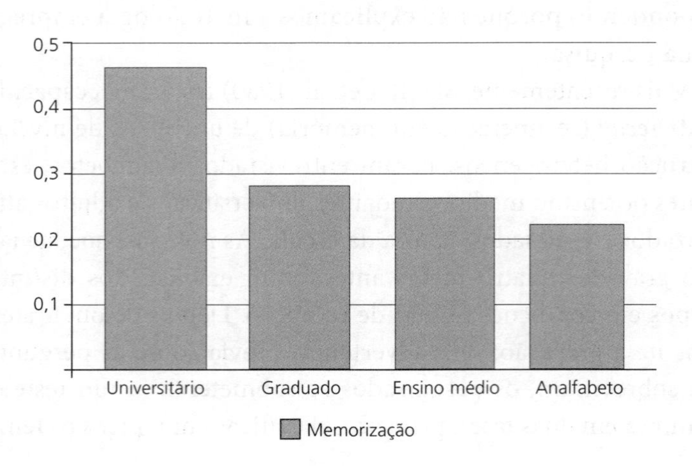

Essas constantes sociológicas, decorrentes do paralelismo das posições ocupadas pelo receptor na sociedade e sua capacidade de entender e reter informação, fazem da recepção um processo também estruturado por determinismos sociais, parte integrante de uma cultura social interiorizada, de regras e valores sociais incorporados. Aqui, a subjetividade do processo receptivo aparece na sua dimensão cultural, socialmente construída.

B. RECEPÇÃO: INTERAÇÃO E CONSUMO

Destacaremos três abordagens complementares ao tema: a "recepção contratual", a "recepção lúdica ou terapêutica" e a "recepção-consumo".

A RECEPÇÃO CONTRATUAL

O modelo da recepção contratual, ou do "contrato da comunicação", estuda a relação entre emissor e receptor. Ambos participam de um processo de negociação, de barganha, cujo procedimento (ritos, encaminhamentos e etapas do processo) enfatiza a dimensão ativa da audiência. A rigor, o que propõe Ghiglione (1988) é um modelo psicolingüístico fundado numa dupla escolha: de um lado, signos e uma sociedade apresentando um conjunto de regras sistêmicas; de outro, uma aplicação de sistemas de signos num determinado momento por sujeitos que introduzem o caráter potencialmente discursivo da relação, cuja transformação em diálogo regular é mediatizada pela realização de um "contrato de comunicação".

Desse "contrato de comunicação" decorrem três conseqüências: a definição de uma situação como potencialmente discursiva (porque ligada a questões controversas) nos leva à noção de estratégia retórica; a operacionalidade de um "contrato de comunicação" pertinente a essas questões controversas é capaz de transformar a situação potencialmente discursiva em diálogo e traz à baila a noção de "dizibilidade", que implica o conhecimento das coisas, de regras conversacionais e de determinismos dos outros sujeitos uns sobre os outros; o sucesso ou fracasso da "palavra de influência" inscrita em um "contrato de comunicação" torna necessária a aplicação dos modelos de "mudança de atitude".

A condição necessária de um diálogo regular, a saber, o conhecimento mínimo dos objetos temáticos, supõe um conhecimento inicial e um conhecimento progressivamente adquirido pela transferência de denominação de um objeto temático.

É preciso conhecer o tipo de proposição no qual se encontram os objetos temáticos cujo conhecimento é compartilhado ou a compartilhar. De maneira mais geral, Ghiglione estima que a cognição dos sujeitos é estruturada por objetos temáticos incluídos em modelos gerais ou modelos argumentativos que definem as relações desses objetos com outros objetos, ações, qualificações... pelo jogo de categorizações verbais empregadas. Em outros termos, os fatores psicológicos da comunicação não se reduzem à análise das personalidades, mas se inscrevem numa psicologia lingüística fundada na intenção de comunicar que se denomina "contrato de comunicação".

Esse contrato não é uma simples adesão consentida a regras e objetos mínimos previamente estabelecidos. Ao salientar a função de redefinição, bem como a de criação do receptor, Ghiglione se opõe ao paradigma da "entrega" e ao modelo da "linha do telégrafo" (ambos denunciam uma ultrapassividade do receptor). Na recepção como parte de um contrato, o receptor reconstrói a mensagem, servindo-se do capital simbólico disponível, acrescenta seu tom, sua nota de sentido na orquestra da comunicação, por intermédio de uma manifestação de vontade que não se restringe a uma adesão contratual (no contrato de adesão o aderente ou aceita ou rejeita em bloco as disposições predefinidas pela outra parte), mas caracteriza-se por uma barganha interminável pela definição e redefinição de suas células.

O receptor da mensagem é um criador de mensagens por sua co-participação no "contrato de comunicação", por sua compreensão individual, pelo desvendamento progressivo que ele opera na instauração de um diálogo regular. Ele pode permanentemente obstar ou desenvolver esse diálogo em função dos conhecimentos prévios de que dispõe. Uma variante dessa dimensão contratual da recepção é sua concepção lúdica, ou seja, como se fosse um jogo.

A RECEPÇÃO LÚDICA OU TERAPÊUTICA

Para Jean Bianchi e Henri Bourgeois (1992), a recepção apresenta as mesmas características contratuais de um jogo. Um espaço onde os gestos (as ações, os golpes...) não são vistos sob um prisma utilitarista, mas sim ordenados visando o prazer de agir. Para que haja jogo, é necessário que haja um troféu previsível e esperado, um objetivo explicitado desde antes do início do jogo, pelo qual os participantes concorrencialmente lutam. Além disso, um jogo reclama regras claramente definidas e conhecidas.

Ainda nessa perspectiva lúdica, observam esses autores que os elementos colocados em jogo são nosso sentido do real, nossa experiência do tempo e nosso inconsciente. O produto mediático, durante o jogo, se desnudaria ao receptor por intermédio de veículos variados, encontrando-se à inteira disposição do receptor, ao alcance de sua vista, audição e sensibilidade. A distância física do receptor em relação ao veículo varia em função da mídia. Menor no jornalismo impresso, ainda pequena no caso da televisão e do rádio, um pouco maior em se tratando do cinema, outdoors etc. Em algumas circunstâncias, a mídia parece envelopar o receptor, chegando a fazê-lo efetivamente e por completo no caso da realidade virtual.

O segundo elemento que é colocado em jogo é a experiência do tempo. A mídia faz apelo à memória do receptor, bem como à sua expectativa de futuro. Falseia a linearidade do tempo. Volta ao passado e prevê o futuro, valoriza o ritmo rápido, faz crer na presença do que não existe mais ou do que ainda não existe. O terceiro elemento que Bianchi e Bourgeois mencionam como parte do jogo é o inconsciente do receptor, que se manifesta pelo seu comportamento, por meio das ações do jogo.

As ações do jogo da recepção podem ser reunidas em três comportamentos distintos: em primeiro lugar, as atividades que constroem ou estruturam as solicitações mediáticas; em segundo lugar, podemos observar as ações e reações que resistem às intervenções da mídia e controlam a tendência a aceitá-las; finalmente, intervêm as operações que buscam reduzir a tensão manifestada por meio da negociação.

A mudança do canal, via controle remoto, é um exemplo dessa negociação. Trata-se de uma agilização da exposição seletiva em face da diversidade de produtos oferecidos pela televisão. O receptor se torna co-responsável pela composição de sua própria programação. Surge uma nova estética que faz da descontinuidade de sentido, da lógica do *clip*, um valor de criação, permitindo ao receptor acreditar (mesmo mantendo uma dependência em relação à mídia) na sua própria postura crítica e isenta.

Também o produto ("ficcional puro" ou "informativo") condiciona a recepção. Muitas variações são possíveis em função do tipo de produto oferecido. O receptor não busca em permanência a verdade; o objeto do jogo não é identificar o real na dramatização, mas sim degustar a dramatização do real, buscar essa espécie de sobre-realidade inerente a toda mediatização da mensagem. O receptor se exercita para obter o máximo de prazer. Procura-se de certa maneira prolongá-lo ou maximizá-lo quando se conversa, *a posteriori*, sobre os temas veiculados. Deixa-se seduzir ou resiste-se em função das regras de oscilação entre o real e o fictício.

A associação da recepção ao prazer do receptor foi proposta de forma sistemática por Schramm (1949). Em seu artigo são destacados dois momentos possíveis de gratificação e conseqüente prazer, em função do tipo de mensagem recebida. Às vezes, o prazer ou a gratificação são imediatos (interpretamos como simultâneos à recepção), às vezes sobrevêm *a posteriori* (posteriores à recepção); ou seja, as gratificações, para Schramm, ou são imediatas ou são atrasadas. Notícias sobre crime, corrupção, acidentes, desastres, esportes, recreação e eventos sociais trazem prazer imediato. Em contrapartida, notícias sobre educação, saúde, economia proporcionam uma gratificação que não é imediata e que poderá se dar num intervalo de tempo bastante variável.

Schramm observa que a leitura desse segundo tipo de mensagem, no momento da recepção, pode ser bastante enfadonha. Observamos, no entanto, que funciona como uma espécie de investimento informativo. O ônus inicial da recepção se transformará em gratificação em função do uso social que o receptor faz para si mesmo da informação, ou seja, quando a informação recebida é usada oportunamente pelo receptor.

Esse uso, e a conseqüente gratificação, poderá ser previsto pelo receptor com maior ou menor acuidade. Dessa previsão dependerá a maior ou menor motivação para submeter-se a uma mensagem que, usando os termos de Schramm, não traz prazer imediato. Schramm, dessa forma, faz uma clara crítica à teoria do envolvimento que mencionamos. Ou seja, para que haja motivação para a exposição à determinada mensagem, não há necessidade de que haja envolvimento entre o receptor e a mensagem na hora da recepção. O receptor pode vislumbrar uma possibilidade de prazer futuro que o motiva para a recepção presente.

Para Szasz (1957), outro autor que se dedicou à questão do prazer na comunicação, há quatro dimensões do prazer. A primeira, econômica, está relacionada com a redução da necessidade psicológica. O autor dá o exemplo de um indivíduo faminto que come e, em conseqüência, obtém satisfação. A segunda dimensão do prazer está na sua associação com objetos. Uma criança que come diariamente servindo-se sempre de um mesmo prato, tem prazer em ver esse prato, mesmo que ele esteja vazio.

A terceira dimensão diz respeito ao prazer obtido em função da atitude que temos em relação ao objeto. Nesse caso, não é o objeto em si que nos provoca prazer, e sim a atitude tomada diante dele. O autor observa que um quadro num museu não provoca prazer por si só, mas sua contemplação ao fazê-lo. A quarta e última dimensão do prazer indicada por Szasz e que nos interessa mais de perto é a *communication-pleasure*.

Segundo o autor, a comunicação pode tanto trazer prazer como dor (*communication-pain*). No primeiro caso, a comunicação, como intercâmbio de mensagens, pode trazer prazer ainda que este não seja um objetivo explícito. Na comunicação-prazer não há expectativa de obtenção de prazer. Também não há expectativa de que o interlocutor adote este ou aquele comportamento. Assim, o autor a diferencia da comunicação-dor, na qual um dos interlocutores espera do outro um comportamento. Os exemplos citados são de uma ordem, um pedido, um grito de socorro etc. O autor não entra diretamente na relação mídia-receptor e no prazer da recepção.

Ainda nessa perspectiva da dor na comunicação (apresentando essa última não como causa, mas como solução para a primeira), Antonio Vilarnovo (1993) observa que os meios de comunicação podem constituir "um modo de tratamento social curativo paliativo da dor, em um sentido psicológico". O autor vê o discurso informativo como um processo de tratamento e cura da dor pela logoterapia (terapia pelo discurso) e por homeopatia (produção em escalas menores do que se pretende evitar em proporções mais facilmente controláveis). Vilarnovo observa que a mídia produz efeitos logoterápicos em numerosos casos; falar da dor por intermédio da mídia "constitui um passo decisivo para sua resolução ou, ao menos, para a mitigação da dor".

Acrescentamos que falar sobre qualquer tema, sobretudo por intermédio dos meios, é atuar sobre a realidade, mudando com maior ou menor eficácia a representação que se faz dela. Como conclui o autor: "Falar já é fazer algo". Observamos que os meios, como porta-vozes (mais ou menos) autorizados por sua credibilidade para dizer "o que importa saber", fazem de seu ritual diário de produção informativa o ritual de instituição necessário para que o ato de fala produza efeitos, para que seu discurso seja performativo.

Vilarnovo comenta o caso de duas doenças que hoje provocam mortes: a Aids e o paludismo (que provoca muito mais mortes que a Aids). No primeiro caso, graças à construção mediática do tema e seus efeitos mais diretos, introduziu-se a Aids (ou melhor, uma certa representação da Aids) no universo discursivo, na agenda do público. A cura mais ou menos próxima dessa doença será seguramente tributária dessa canalização temática e dos efeitos por ela produzidos. O paludismo, contrariamente, não resistiu aos filtros de canalização e portanto inexiste socialmente. Graças à mídia, a Aids hoje é uma doença social, enquanto o paludismo é próprio e exclusivo daqueles que dele padecem.

Quanto ao tratamento homeopático da dor pela informação mediática, observa o autor que "as pequenas notícias negativas servem como catarse para 'purgar' nossos males cotidianos de maior intensidade dolorosa, do ponto de vista psicológico". Nós acrescentamos que, como tratamento homeopático, a recepção da informação televisiva se processa de maneira ritualizada, a cura não se produz na recepção de uma notícia (como poderia ocorrer na medicina halopática), senão pela inculcação diária, sistemática e periódica da mesma dose.

Outro autor que procura associar o prazer (e o não-prazer) à comunicação é Stephenson (1967). O prazer decorrente da recepção mediática seria, em última instância, um prazer de comunicação. Embora não traga nenhum ganho material, "induz a um certo número de elementos de auto-encantamento". Stephenson estabelece uma distinção paralela à de Szasz: "trabalho" e "jogo". Todo "trabalho" (entendido neste uso muito particular da palavra) é um processo de comunicação-dor, enquanto todo "jogo" é um processo de comunicação-prazer. Nesse sentido, todo controle social se concentraria sobre a comunicação-dor, enquanto toda seletividade (como prerrogativa de selecionar) se concentraria na comunicação-prazer.

Stephenson reconhece as dificuldades metodológicas de sua distinção, observando que a separação dessas duas áreas é esquemática e teórica. Segundo o autor, o principal uso de sua teoria é no estudo dos símbolos-chave e dos temas criativos para o consumo mediático. Dessa forma, o estudo dos símbolos-chave da comunicação de massa, diante da dicotomia "trabalho/jogo", deixa de pertencer ao terreno da adivinhação e da intuição e passa a ser objeto de pesquisa: o estudo de uma cultura da recepção dos meios de comunicação.

A conclusões similares chegaram Bianchi e Bourgeois ao abordar a questão do prazer; como Stephenson, sustentam que existe uma cultura da recepção, mas que esta tem como ponto de sustentação a sensibilidade do receptor. É na capacidade que tem o receptor de sentir e de perceber que a recepção se inaugura e se enraíza. A capacidade de construir e de reconstruir uma mensagem dependerá dessa base corporal de sensibilidade, dessa permanente educação para sentir, dessa técnica pessoal de elaboração dos sentidos. Bianchi e Bourgeois observam que a cultura de recepção é uma cultura física (ou corporal) e uma cultura de experiência (ou de aprendizado). Nesse sentido, enfatizamos que a recepção apresenta-se como o ponto de tangência entre um momento de comunicação (o momento de oferta concorrencial do produto mediático no mercado informativo) e tudo aquilo que o receptor "traz consigo".

A perspectiva da comunicação como jogo nos trouxe a uma cultura da recepção, ou seja, elementos que caracterizam a subjetividade do receptor por seus aspectos de semelhança aos demais num determinado grupo (segundo aspecto da subjetividade a que nos referimos na introdução deste capítulo).

Não esgotaremos, aqui, as teses "culturalistas" sobre a recepção. Decidimos enfocar apenas a recepção como consumo. A escolha se deve ao prestígio científico dos trabalhos sobre o tema, bem como dos seus principais protagonistas.

A RECEPÇÃO-CONSUMO

A idéia de recepção mediática como consumo cultural surgiu com as críticas à "cultura de massa" e ao seu mecanismo de difusão. Ela diz respeito à percepção cada vez mais imediata de produtos da mídia, os únicos capazes de difundir bens culturais em drágeas consumíveis pelo maior número. Quanto mais imediata a percepção, mais fácil a reconstrução mental da mensagem e menor o número de referenciais cognitivos exigidos. De certa forma, o fato de os receptores discutirem prioritariamente sobre os mesmos temas de maior incidência na seleção editorial (*agenda setting*) é um tipo de efeito social tributário da homogeneização de conteúdo promovida pelas indústrias mediáticas de cultura de massa.

O consumo cultural mediático marca socialmente o receptor, classifica-o em grupos de consumidores (por exemplo, com maior ou menor capital cultural), discriminando-os de outros consumidores. O fato de comentar sobre o produto mediático consumido participa dessa estratégia de fazer-se ver, conhecer e reconhecer como consumidor deste ou daquele produto e, portanto, existir socialmente de uma forma ou outra.

Cada receptor é antes de tudo um agente social que, durante sua trajetória de relações sociais, se submeteu a um aprendizado permanente. Esse aprendizado se dá sob a forma de inculcação, que "consiste em fazer nascer junto a determinado agente, diante de condições objetivas dadas, uma disposição geral e fundamental para reproduzir um certo tipo de prática, cada vez que o agente se encontrar diante de condições objetivas reproduzindo as condições sociais iniciais" (Accardo, 1983).

À medida que as experiências concretas se repetem, regras sociais se acumulam, se sobrepõem, se combinam, se reforçam e se transformam em disposições gerais. Diante da superveniência de experiências comparáveis, essas disposições gerarão comportamento. São esquemas de classificação do mundo social (bonito/feio, brega/de classe, de bom gosto/de mau gosto, certo/errado, bom/mau, comercial/de qualidade etc.) que são aprendidos, se interiorizam e se incorporam de tal maneira que dão a impressão de serem geneticamente herdados. Quando assistir a certo tipo de programa ou ouvir este ou aquele cantor parece "ridículo", o que há é uma inadequação da posição social que tem ou que pretende o receptor. Essa inadequação, longe de ser uma autopromoção estratégica, uma orquestração consciente, é fruto de uma incorporação de estruturas avaliativas.

Esses esquemas de classificação do mundo social fabricam interesses, classificam o produto mediático em interessante e desinteressante, assistível ou não. Condicionam, portanto, a manifestação, a *prise de parole* sobre o tema tratado. Mais do que isso: impõem a forma da manifestação, sua ênfase, seu momento, seu tom.

Nesse sentido, pode-se dizer que a sociologia de Bourdieu nos apresenta provavelmente a mais importante teoria sobre consumo social de cultura. Como observa Moores (1993), "Bourdieu ataca toda tese de prática cultural inata e destaca o caráter socialmente construído de todas as preferências, interpretações e julgamentos de valor". Assim, adaptando as teses de *La distinction* à recepção mediática, não se pode conceber a audiência de um programa como "de bom gosto" sem que se denuncie os mecanismos sociais de definição do que é de "bom gosto" e do que é "brega".

Outra abordagem sobre a recepção como consumo cultural é apresentada por Jean Baudrillard (1970). Com preocupações distintas das de Bourdieu, Baudrillard insere a recepção mediática num sistema de consumo por sua vez inscrito na *société de consommation*. O consumo social, na ótica do sociólogo francês, é um sistema que nada tem a ver com as necessidades ou com o gozo individual. Dessa forma, não teria sentido, para esse autor, justificar a exposição seletiva pela utilidade da mensagem veiculada ou pelo prazer que ela poderia trazer. Para Baudrillard, o consumo (inclusive mediático) assegura o ordenamento dos signos e a interação do grupo. O consumo, para usar os termos de Durkheim, seria a nova base de uma consciência coletiva, que, mais do que permitir, possibilitaria aos indivíduos continuar vivendo em sociedade.

O sistema de consumo se apresentaria, segundo o autor, como sendo ao mesmo tempo um sistema moral (um sistema de valores ideológicos) e um sistema de comunicação, uma estrutura de troca. Nessa lógica dos signos, os objetos não são mais ligados a uma função ou a uma necessidade definida. Isso porque eles correspondem a uma lógica social, a uma lógica do desejo.

Baudrillard sustenta que a melhor forma de provar a finalidade do consumo não é o gozo; socialmente o consumo não é visto como direito e sim como dever. Para ele, o homem moderno passa cada vez menos tempo na produção/trabalho e cada vez mais na produção e inovação contínua de suas próprias necessidades e bem-estar. O consumo é uma conduta ativa e coletiva, uma moral, uma instituição, um modo específico de socialização que passa para a mentalidade, para a ética e para a ideologia cotidianas. A recepção mediática para Baudrillard é apenas uma engrenagem de consumo cultural que respeita todos os imperativos do sistema social de consumo como um todo.

Tentamos, nestas últimas páginas, dar ao leitor uma visão de algumas abordagens da recepção. Sem a pretensão da exaustividade e assumindo o risco de aproximar autores e enfoques de suporte epistemológico bastante heterogêneo, procuramos apontar os limites de comportamento de cada receptor enquanto contratante, jogador e consumidor, com estratégias de distinção próprias, mas socialmente determinadas por um capital econômico e um capital cultural, e pertencente a uma sociedade de consumo cujo sistema transforma a recepção mediática, como qualquer consumo, numa condição de existência social.

Vimos, então, na primeira parte deste capítulo, a subjetividade na recepção e sua dimensão individual e, na segunda parte, em sua dimensão social e cultural. A idéia é que, embora cada receptor receba as mensagens mediatizadas de maneira distinta, há pontos de intersecção decorrentes de um aprendizado receptivo comum, de uma cultura receptiva comum, de determinismos (mediaticamente construídos ou não) também comuns. É essa dimensão social e cultural da recepção que permite aos produtos mediáticos informativos, em função de sua objetividade aparente, produzir efeitos sociais[8].

PARTE III

Objetividade aparente e seus efeitos sociais

A terceira parte deste livro trata de dois dos muitos efeitos que os meios exercem sobre a sociedade. Primeiro, os que decorrem de uma canalização temática inerente à atividade jornalística (capítulo 5), e, segundo, os relacionados à atribuição de valor e à circulação de opiniões sobre esses temas (capítulo 6). Como veremos, esses dois efeitos só são possíveis graças a duas características da produção informativa. De um lado, a coincidência tendencial de temas selecionados e, de outro, a relativa homogeneidade na abordagem desses temas. Trata-se de garantidores de uma objetividade aparente do produto jornalístico sem os quais a oferta e o consumo da notícia seriam regidos por outras expectativas.

Além dessas características, todos os aspectos formais que asseguram em definitivo a aparência de objetividade têm enorme incidência sobre o agendamento temático dos receptores e sobre a abordagem legítima dos temas. Assim, os aspectos formais dos distintos produtos informativos condicionam sua recepção. Por exemplo, um artigo de jornal com foto ou sem foto ou uma notícia em um jornal televisivo com ou sem imagens do local (efeito real), a posição que a matéria ocupa no jornal, na revista ou no telediário (efeito de hierarquia), a seqüência icônica (de imagens) escolhida (tanto na televisão como na imprensa), ou a incidência retórica (em rádio e TV) neste ou naquele elemento da informação (efeito de dramatização) etc.

Estamos conscientes de que esta cisão formal entre temas e opiniões (ou seja, entre "sobre o que falar" e "o que falar sobre") esconde uma fronteira substantiva fluida. Afinal, mesmo a definição de um fato como noticiável pressupõe atribuição de valor. Uma opinião, portanto. Da mesma forma, toda opinião jornalística expressa sobre um fato implica sua noticiabilidade. Assim, a opinião que temos sobre um tema e o próprio tema como objeto de discussão social são obviamente interdependentes. Se temos alguma opinião sobre um determinado tema, é porque já falamos ou refletimos sobre ele. Como bem observaram Gladys Lang e Kurt Lang (1981a, p. 449), "o que as pessoas pensam não pode ser separado facilmente de sobre o que as pessoas pensam, como expressado nas diversas formulações sobre o *agenda setting*. Ao contrário, muitas opiniões diferentes podem se originar em função de importâncias distintas que as pessoas associam a fatores de uma situação complexa". Optamos, no entanto, pelo mal menor. Os capítulos desta parte têm por objeto, de um lado, a relação da mídia com a agenda pública (capítulo 5) e com a opinião pública (capítulo 6).

CAPÍTULO 5
Impor sobre o que falar: a hipótese do *agenda setting*

Mais do que o que pensar, os meios nos dizem sobre o que pensar.
(Bernard Cohen)

Os temas discutidos no cotidiano são determinados pelas mensagens da mídia. É o que prevê a hipótese do *agenda setting*[1]. Trata-se de uma das formas possíveis de incidência dos meios de comunicação de massa sobre a sociedade. É um dos efeitos sociais da mídia. Segundo essa hipótese, a mídia, pela seleção, disposição e incidência de seus produtos, determina os temas sobre os quais o público falará e discutirá.

Ao nos impor um menu seletivo de informações como sendo "o que aconteceu", a mídia impede que outros temas sejam conhecidos e, portanto, comentados. Decretando seu desconhecimento pela sociedade, condena-os à inexistência. Nesse sentido, o menu da mídia, porque é o único temário comum de agentes sociais em comunicação, é o que apresenta maior incidência nas comunicações interpessoais[2]. Algumas ressalvas, no entanto, parecem fundamentais.

A imposição dos temas mais comentados nas comunicações interpessoais é constatada por pesquisas em grandes universos sociais. Isso não significa que nas manifestações de indivíduos considerados isoladamente esses temas sejam preponderantes. Um pai comenta com seu colega de trabalho que seu filho quebrou a perna. Ou um funcionário explica ao chefe as razões de seu atraso. Esses temas, pertencentes a uma agenda pessoal, não foram impostos pela mídia.

No entanto, quando consideramos um grande universo social a incidência de um tema específico da agenda privada torna-se estatisticamente desprezível, porque só as pessoas que pertencem ao mesmo círculo imediato de relações dele terão ciência e poderão comentá-lo. Também é evidente que, como esse pai ou funcionário, os demais agentes sociais discutem sobre temas não mediatizados (ou seja, não veiculados por um meio de comunicação). Nesse sentido, as pessoas conversam muito mais sobre esses do que sobre temas mediatizados.

A investigação sobre as manifestações discursivas em sociedade denuncia, além desses temas – circunscritos às relações interpessoais específicas –, a existência de temas comuns a grande parte dos agentes sociais. Estes são os impostos pela mídia.

Ao se analisar uma tabela de incidência temática, ou seja, dos temas mais presentes nas discussões sociais, tem-se a impressão de que só se fala sobre esses temas, porque são os únicos comumente presentes no infinito número de comunicações interpessoais. Assim, macrossociologicamente, a mídia impõe os temas mais discutidos, o que não acontece na trajetória singular de um agente social.

Antes de os especialistas em comunicação sistematizarem a especificidade desse efeito da mídia sobre o conjunto da sociedade, os profissionais da política já se serviam da filtragem e imposição, de certa forma denunciando sua presença.

Um exemplo interessante vem descrito nas páginas da autobiografia do jornalista americano Lincoln Steffens (1931). No capítulo "I make a crime wave", conta que trabalhava para o jornal nova-iorquino *Evening Post*. Observou que muitas histórias pitorescas contadas nas delegacias da cidade não eram publicadas nas páginas policiais dos diários. Quando uma dessas histórias envolveu uma família conhecida, Lincoln decidiu publicá-la. Foi um "furo" que incentivou os demais jornais da cidade a adotar o mesmo expediente e assegurar cotidianamente a publicação dessas histórias policiais menos comuns.

Ora, o súbito aumento de relatos de crimes em jornais causou o que foi chamado na época de "crime wave". O público e as autoridades passaram a considerar a criminalidade um tema ainda mais relevante, sem que nenhum aumento estatístico no número de crimes tivesse ocorrido[3]. Criou-se uma falsa sensação de aumento da criminalidade em função de uma alteração no mecanismo de canalização das notícias.

Da mesma forma, durante os primeiros três meses de 1994, 37% dos texanos responderam que o problema mais importante dos Estados Unidos é o crime. Neste período, 292 reportagens sobre esse tema foram publicadas nos dois principais jornais do Texas: *Dallas Morning News* e *Houston Chronicle* (Ghanem, 1996). Apesar dessa significativa incidência na mídia, as taxas de criminalidade encontraram-se em franco declínio nos Estados Unidos[4]. Texas não foi exceção.

Cobertura excessiva também se verificou, de junho a agosto de 2001 nos Estados Unidos, a um assunto inusitado: ataques de tubarões. A revista *Time*, de maior tiragem no país, deu capa para o tema. Mas especialistas logo apontaram que não havia correspondente na realidade. Segundo editorial do *New York Times*, entre 1990 e 1997, 28 crianças norte-americanas foram mortas em acidentes domésticos com televisores. Apenas 7 pessoas, durante todo o século XX nos Estados Unidos, foram mortas por tubarões. Oportunidade para uma *boutade* de McCombs (2004): ver o filme "Tubarões" na televisão é mais perigoso do que nadar em mar aberto.

Fixar a agenda é fixar o calendário dos acontecimentos. É definir o que é importante e o que não é. É chamar a atenção sobre certo problema, destacar um assunto mesmo que se trate de uma piada. É criar o clima no qual será recebida a informação. É fixar não só o que vai ser discutido, mas como e por quem. Assim, é fácil perceber que a divulgação do salário de um alto executivo de uma multinacional ou de um deputado ao lado dos cachês recebidos por um megastar do *show business* produz efeitos completamente distintos do que se essa publicação for feita ao lado de uma matéria que trate da atualização do salário mínimo.

Para podermos enfocar a hipótese do *agenda setting* de maneira sistemática, analisaremos numa primeira parte a evolução de sua idéia central (I) e, numa segunda parte, os fatores que a condicionam (II).

I. A POSIÇÃO DO *AGENDA SETTING* NA TEORIA DE COMUNICAÇÃO DE MASSA

Ao ler as revistas especializadas em comunicação de massa ou os manuais, o leitor percebe a posição destacada que, há mais de 20 anos, ocupa a hipótese do *agenda setting*. Sua idéia central, no entanto, é muito anterior. Enfocaremos primeiramente a evolução da idéia central do *agenda setting* (A) e, em seguida, a posição que o conceito ocupa hoje na doutrina (B).

A. HISTÓRICO DAS PESQUISAS SOBRE O *AGENDA SETTING*

Há duvidas sobre o momento exato em que a idéia central do *agenda setting* foi aludida em trabalhos científicos. É indiscutível, no entanto, que a hipótese avançada por McCombs trouxe definitivamente o tema para a seara científica. A idéia central do *agenda setting* já havia sido apontada por muitos quando McCombs e Shaw (1972) a apresentaram com esse nome. Em 1922, Walter Lippmann, em *Public opinion*, já destacava o papel de imprensa no enquadramento da atenção dos leitores em direção a temas por ela impostos como "de maior interesse coletivo". Esse livro, ainda extremamente atual, é, segundo o próprio McCombs, a principal origem doutrinária de sua hipótese.

No capítulo introdutório de *Public opinion*, Lippmann se refere ao modo pelo qual as pessoas chegam a conhecer o mundo, como formam as "imagens em suas mentes" sobre esse mundo e as pessoas que nele habitam. Os meios de comunicação modelam essas imagens ao selecionar e organizar símbolos de um mundo real, demasiado amplo e complexo para um conhecimento direto. Nem todos os repórteres do mundo, trabalhando todas as horas do dia, poderiam ter ciência de todos os acontecimentos.

Também Robert Ezra Park, em sua obra *The city* (1925), destacava a prerrogativa que tinham os meios de comunicação de definir certa ordem de preferências temáticas. Mais tarde, o mesmo autor denunciou a "função indicadora das notícias" (Park, 1940) que têm os meios. Mas foi em 1958, em artigo escrito por Long (1958), que a hipótese do agendamento temático foi, pela primeira vez, claramente enunciada: "De certa forma, o jornal é o primeiro motor da fixação da agenda territorial. Ele tem grande participação na definição do que a maioria das pessoas conversarão, o que as pessoas pensarão que são os fatos e como se deve lidar com os problemas".

Ainda antes de McCombs, Cohen (1963, p. 13) observava que "a mídia talvez não imponha o que pensar, mas seguramente impõe sobre o que pensar". A metáfora, que inspirou o título deste capítulo, não só coloca em evidência a diferença entre atitude (como avaliação das coisas) e cognição (como estocagem de informação sobre o mundo), mas sublinha, como observa Weiss (1992), que a cognição é mais facilmente influenciável pela mídia que a avaliação.

Nessa perspectiva histórica, Lang e Lang (1966) denunciavam a prerrogativa de hierarquização temática dos meios de comunicação. Da mesma forma, Walker (1966) também apontava para a coincidência dos temas mediáticos e dos temas de conversas interpessoais. Nenhum deles falava, no entanto, em *agenda setting*.

É forçoso reconhecer que, embora esses estudos tivessem antecedido as pesquisas de McCombs, não despertaram nenhum interesse científico. Tanto que não são citados hoje pelo rigor de suas análises, e sim porque antecederam à sistematização da hipótese do *agenda setting*. Esse termo trouxe consagração e visibilidade científica à idéia. Como observa Saperas (1987), o estudo da capacidade de estabelecer a agenda de temas por parte dos meios de comunicação significou, no marco da pesquisa americana, a primeira ruptura consolidada em relação às análises da comunicação política fora do âmbito estrito da persuasão. Significou também o passo definitivo da comunicação comercial à comunicação política como o âmbito de estudo empírico em que se produziria a maior inovação teórica.

O primeiro estudo a que nos referimos foi publicado na revista *Public Opinion Quarterly* e realizado em Chapel Hill. Visava constatar a coincidência entre a agenda da mídia e a agenda do público durante a campanha das eleições de 1968 nos Estados Unidos. O objetivo, segundo McCombs, era encontrar o efeito do agendamento onde ele teria maiores possibilidades de existir. A amostragem foi escolhida em função dessa perspectiva. Só foram entrevistados *undecided voters*, ou seja, votantes indecisos. Parece-nos importante esclarecer que, nos Estados Unidos, o voto não é obrigatório. Mais ainda: para ser *voter* é preciso tomar a iniciativa de inscrever-se em seu colégio eleitoral.

Embora o procedimento varie em função da especificidade do processo eleitoral de casa estado, em nenhum caso a inscrição eleitoral é automática (como ocorre no Brasil). Entre aqueles que tomaram a iniciativa de exercer seu direito de voto, foram selecionados para a amostragem apenas os que ainda não tinham escolhido seu candidato. O leitor poderia se perguntar qual a razão destes esclarecimentos. Uma amostragem composta exclusivamente por *undecided voters* é bastante particular. Não só por estarem indecisos, como por serem *voters*. Essas duas características influem diretamente no comportamento do entrevistado. Por quê?

Um *voter*, conforme comprovam numerosos estudos de sociologia eleitoral, tem estatisticamente maior grau de politização (conhecimento dos candidatos, das instituições, das tomadas de decisão políticas, dos partidos e profissionais dominantes e dominados, capacidade de reconstrução mental do espaço político segundo os eixos direita/esquerda, governo/oposição etc.) e, portanto, maior tendência a consumir produtos mediáticos relacionados com questões políticas. Ora, o efeito do agendamento depende antes de qualquer coisa do consumo dos produtos que agendam os temas, de forma que o *voter*, por ter maior contato com temas políticos pela mídia, obviamente teria maior tendência a agendar seus temas de discussão interpessoal em função disso[5].

A particularidade de estar indeciso também incide sobre as respostas. Como vimos no capítulo anterior, qualquer receptor tende a evitar informações que não coincidam com opiniões e comportamentos anteriores. Buscam, assim, por meio da exposição seletiva e do conseqüente agendamento temático pessoal, informações concordantes (*supportive information*). Ora, a probabilidade de um eleitor decidido evitar parte da informação política veiculada pelos meios (e, portanto, agendá-la de forma distorcida) é muito maior entre aqueles que já têm uma opinião formada sobre o candidato ou partido ideal.

Ilustremos com um exemplo da política de São Paulo: para um petista, as informações sobre a campanha malufista trazem desconforto, ocorrendo com os malufistas obviamente o contrário. O eleitor indeciso é aquele que terá maior tendência a consumir produtos informativos de diversas origens e cores ideológicas, exatamente para decidir-se. Se está indeciso, as informações sobre este ou aquele candidato não causarão o mesmo desconforto psicológico que para um eleitor decidido. Pode-se dizer que o desconforto trazido por esta ou aquela informação é inversamente proporcional ao grau de indecisão em relação a qual o produto político comprar no mercado eleitoral.

As principais críticas ao estudo de Chapel Hill, no entanto, centraram-se na sua incapacidade de provar o nexo causal entre a agenda da mídia e a agenda do público. Ou seja, não é pelo fato de que haja coincidência temática que, necessariamente, são os meios que agendam o público. Nada nos garante que não seja o contrário. A única medida que havia sido tomada por McCombs e Shaw para garantir esse nexo foi o intervalo de tempo de duas semanas (considerado insuficiente para garantir a anterioridade dos meios) entre a coleta de material informático e a coleta de respostas dos entrevistados. Com o objetivo de afinar os resultados obtidos em Chapel Hill, McCombs e seu grupo organizaram um novo estudo a ser realizado na cidade de Charlotte, na Carolina do Norte.

Desenvolveram, então, uma pesquisa durante as eleições presidenciais de 1972, que ficou conhecida como *Charlotte Study*[6]. Duas foram as diferenças em relação à pesquisa de Chapel Hill: de um lado, a amostragem foi mais abrangente e mais representativa (não só os indecisos foram questionados, mas qualquer tipo de *voter*) e, de outro, os respondentes foram entrevistados em momentos sucessivos da campanha. O principal objetivo era constatar as alterações da agenda do público em distintos momentos e com isso comprovar a antecedência do tratamento mediático aos temas em relação às discussões interpessoais. Assim, a mesma amostragem de receptores foi ouvida em junho (antes das convenções nacionais dos partidos), em outubro, no momento mais intenso da campanha, e, em novembro, durante as eleições.

Os resultados novamente não foram completamente satisfatórios. Primeiro, porque não ficou demonstrado o *agenda setting* no tratamento televisivo da informação; segundo, porque os jornais provocaram um agendamento parcial de seus temas. No entanto, para a parcela do menu informativo agendada pelo público, o nexo de causalidade ficava comprovado.

TIPOS DE ESTUDO E TIPOS DE AGENDA

A partir da pesquisa de Charlotte, podemos identificar uma tipologia de estudos sobre *agenda setting* elaborada por McCombs, conhecida como "tipologia do Acapulco"[7]. Essa tipologia tem dois referenciais: o número de temas analisado e o número de pessoas perguntadas. Esses dois referenciais, combinados dois a dois, perfazem quatro tipos de estudo: o primeiro tipo envolve vários temas com uma população de mais de um indivíduo (Chapel Hill e Charlotte). O segundo tipo de estudo também envolve vários temas, mas estudados em função da agenda de um só indivíduo. No terceiro tipo, elege-se um tema específico e se analisa seu posicionamento na agenda de um grupo, e no quarto, novamente só um tema é classificado na agenda de um só indivíduo. Segundo McCombs, existe certa evolução histórica de comprovação da hipótese que caminha em direção aos estudos de tipo 3 e 4, embora um grande número de estudos do tipo 1 e 2 ainda subsista.

Esses tipos de estudo nos levam a uma importante precisão. Em função dessa diversidade temática, foram estudados vários tipos de agenda que, não coincidindo entre si, podem levar a equívocos metodológicos. O primeiro tipo de agenda é a individual ou intrapessoal (encontrável nos estudos de tipo 2 e 4). Essa agenda *individual issue salience* corresponde ao repertório de preocupações sobre questões públicas que interioriza cada indivíduo. Uma variante desse tipo seria a agenda interpessoal manifestada (*perceived issue salience*), ou seja, os temas mencionados nas distintas comunicações interpessoais. São temas percebidos por sujeitos individuais e discutidos nas suas relações. Um terceiro tipo de agenda, à qual necessariamente fazem alusão os estudos de *agenda setting* (de qualquer um dos quatro tipos), é a agenda da mídia, ou seja, o elenco temático selecionado pelos meios de difusão.

O quarto tipo de agenda (a que deu origem à hipótese de McCombs) é a agenda pública. Trata-se do conjunto de temas que a sociedade como um todo (e não só as comunicações interpessoais individualmente consideradas) estima que sejam relevantes e por isso atribui-lhes atenção. O quinto e último tipo de agenda poderia ser chamado de institucional, isto é, as propriedades temáticas eleitas no seio desta ou daquela instituição. A multiplicidade de tipos de estudos, que ocasionou essas imprecisões terminológicas, representa ao mesmo tempo a riqueza e o ponto vulnerável da hipótese do *agenda setting*. Por se tratar de um fenômeno rico em variáveis, é uma hipótese de comprovação científica desconfortável.

DIFICULDADE DE COMPROVAÇÃO CIENTÍFICA DA HIPÓTESE

Os estudos empíricos visando comprovar cientificamente a hipótese do *agenda setting* apontam dificuldades de ordem epistemológica de vários matizes. O primeiro problema com o qual se deparam essas pesquisas diz respeito ao período de eficácia. Não há harmonia na definição de prazos para a constatação dos efeitos. A maioria dos autores se limita à análise de prazos curtos, cerceando a fertilidade possível dos resultados. Observamos que a escolha de prazos curtos visa, de um lado, facilitar a investigação empírica na recepção. Constatar a repercussão de um menu temático no dia seguinte ao de sua veiculação é mais fácil do que fazê-lo dois anos depois. De outro lado, procura-se adequar a pesquisa à freqüência diária dos principais veículos usados nesse tipo de pesquisa.

Vale salientar que alguns estudos recentes buscam precisar justamente o período de eficácia do agendamento, sobretudo em função do meio consumido, bem como o *time-lag*, ou seja, o intervalo de tempo entre a veiculação e a recepção (conforme a segunda parte deste capítulo).

Um segundo ponto problemático, ao nosso ver, é a envergadura da amostragem dos receptores em estudo. Ela costuma variar entre 150 e 300 indivíduos, número que coloca em dúvida sua representatividade para muitos universos sociais estudados. Soma-se a esse fator a singularidade de cada projeto; não havendo homogeneidade na metodologia utilizada, fica inviabilizada a comparação dos resultados, das provas em estudos por vezes simultâneos.

A rigor, a base metodológica dos estudos sobre o agendamento se fundamenta sempre em dois procedimentos: de um lado, análise de conteúdo e, de outro, pesquisa de opinião. É a diversidade de variáveis que envolvem os distintos estudos que torna a comparação inviável. A multiplicidade de sub-hipóteses, sobretudo envolvendo os fatores condicionantes do agendamento, dá a cada estudo uma especificidade que, efetivamente, torna inócua qualquer tentativa de comparação.

Um terceiro ponto que costuma estar na origem de desentendimento sobre a hipótese é a falta de rigor na utilização dos termos. Observamos que essa falta de rigor costuma começar pela própria noção de agendamento. O que é a determinação da agenda (*agenda setting*)? Trata-se de dar a conhecer ao receptor (que, não fosse pelos meios, não se inteiraria do fato)? Ou se trata de uma hierarquização temática (quando os meios determinam qual a importância a dar a este ou àquele fato)? Ou, ainda, de impor uma abordagem específica ao fato, enfocando o tema desta ou daquela maneira? Não são raros os estudos que confundem esses três graus de influência na mesma pesquisa.

A última crítica que elencaremos diz respeito à pouca diversidade de temas estudados pelas pesquisas comprobatórias da hipótese. O agendamento de questões políticas durante períodos de campanhas eleitorais parece exercer grande fascínio sobre os pesquisadores. Uma das causas talvez seja a proximidade dos universos sociais em que atuam os acadêmicos das áreas de comunicação e de sociologia eleitoral. Essa proximidade se observa pelo grande número de pesquisadores que ocupam simultaneamente posição nos dois campos. Constatar ou não o agendamento de temas eleitorais[8] permite ao pesquisador ocupar esses dois espaços, aumentar sua superfície de visibilidade científica e, portanto, diversificar o investimento de seu capital acadêmico.

Se temas esportivos, econômicos[9] ou de variedades nunca são estudados em relação aos efeitos sociais de suas publicações, não se pode saber da especificidade desses produtos na prerrogativa de provocar com maior ou menor acuidade as comunicações interpessoais sobre os próprios temas.

Essas dificuldades epistemológicas, comumente apontadas, impedem, segundo muitos, um balanço teórico-doutrinário dos estudos realizados até aqui sobre o *agenda setting*. Como observa Mauro Wolf (1987, p. 164),

> a hipótese do *agenda setting*, em seu estado atual, é mais um núcleo de observações e de conhecimentos parciais suscetível de ser ulteriormente articulado e integrado em uma teoria geral sobre a mediação simbólica e sobre os efeitos da realidade operados pelos *mass media* que um paradigma de análise definido e estabelecido.

B. POSIÇÃO DA HIPÓTESE DO *AGENDA SETTING* NA DOUTRINA

Doutrinariamente, a primeira geração do *agenda setting* (mera imposição temática) surge, de um lado, com o declínio do behaviorismo e a emergência da psicologia cognitiva e, de outros, como reação ao modelo dos efeitos limitados. Já a segunda geração (imposição de um determinado enfoque temático) aproxima o *agenda setting* das teses sobre o fenômeno da persuasão e da aculturação.

A chamada primeira geração do *agenda setting* surgiu como uma reação aos "efeitos limitados", ou à "lei da conseqüência mínima". A grande preocupação de seus primeiros pesquisadores era encontrar efeitos. Enquanto o behaviorismo centra sua análise sobre os determinismos e os condicionamentos do comportamento, para a psicologia cognitiva o indivíduo é eminentemente ativo, agindo no mundo com base em seu conhecimento. Os processos de conhecimento são essencialmente construtivos, colocando em relevo as metas a serem atingidas com a ação. A hipótese do *agenda setting* nasceu quando começava a decair o modelo dos efeitos limitados. Surgiu na verdade como uma reação a esse último.

O modelo dos efeitos limitados, como vimos, surgiu num período em que se atribuía à mídia enormes prerrogativas de manipulação social, não só para impor a representação que o receptor teria da realidade, mas igualmente para alterar seu comportamento. A mídia, nesse caso, funcionaria como uma "agulha hipodérmica" ou uma "bala de canhão". Os receptores pertenceriam a uma sociedade de massa, verdadeiro depósito de mensagens composto por indivíduos inertes, passivos e vulneráveis. A abordagem dita "fenomênica", que condiciona e relativiza os efeitos sociais da mídia, põe um termo nas especulações sobre a onipotência dos meios de comunicação na imposição de representações e comportamentos.

Poderíamos resumir as críticas ao modelo dos efeitos limitados a quatro pontos fundamentais: em primeiro lugar, o excessivo empirismo e preocupação quantitativa de seus estudos; em segundo lugar, os pesquisadores procuravam quantificar exclusivamente os efeitos em curto prazo, negligenciando os efeitos a médio e longo prazos, quase sempre relacionados à construção e imposição de um universo simbólico como referencial de percepção do mundo social.

Em terceiro lugar, os resultados dessas pesquisas de psicologia social, que permitiram as conclusões do modelo dos efeitos limitados, são quase todos obtidos em laboratório, não sendo, portanto, necessariamente reveladores do que ocorre na recepção em condições sociais normais; se essas pesquisas têm o mérito indiscutível de precisar o comportamento e imposição de representações – equivocaram-se, como diria J. B. Lemert (1983), ao limitar o conceito de opinião pública à somatória dessas reações.

Nesse sentido, Habermas (1981) observa que a "opinião pública", ao passar a ser objeto de estudo da psicologia social, perdeu a dimensão política que teve ao longo do século XIX.

> Analisada como "opinião de massas" pela primeira vez por Tarde, é arrancada do contexto funcional das instituições políticas e despojada de seu caráter de "opinião pública" ; trata-se agora do produto de um processo de comunicação no seio das massas que não está vinculado aos princípios da discussão pública nem da dominação política.

Uma quarta crítica, bem observada por Böeckelmann (1983), é que essas análises se limitam a estudar o comportamento do receptor em contato com a mensagem, quando sabidamente a recepção é um processo que pode se dar em *n* etapas. O indivíduo *A* assiste a uma reportagem e comenta com o indivíduo *B*, que por sua vez comentará com *C*, *D* e *E*, e assim sucessivamente. A constituição da opinião pública não se dá, como é evidente, exclusivamente em função da relação direta da mídia com o receptor, e sim no conjunto das relações sociais que dela decorre.

Diante dessas críticas aos efeitos limitados, compreendemos melhor em que contexto doutrinário surgiu a hipótese do *agenda setting*. Procurando enfatizar a ruptura que a nova hipótese simbolizava, Iyengar (1988) observa que, já nessa época, "não mais podia haver dúvida sobre a prerrogativa dos meios massivos em influenciar a agenda política. O efeito do *agenda setting* provou ser sólido, catalisando grande variedade de temas, canais de mídia e alvos de audiência". No entanto, parecia evidente aos pesquisadores que os distintos produtos veiculados por distintos meios agendavam seus temas de maneira heterogênea. Os artigos publicados em revistas especializadas procuravam demonstrar isoladamente a incidência deste ou daquele elemento sobre o agendamento e a medida dessa incidência. Tentaremos, na segunda parte deste capítulo, sistematizar esses fatores, dispersos em mais de duzentos trabalhos publicados.

II. FATORES QUE CONDICIONAM O *AGENDA SETTING*

Há duas ordens de fatores que, ao nosso ver, condicionam o *agenda setting*: os primeiros relacionados com a mensagem (A) e os demais com a recepção (B). A rigor, são fatores que revitalizam a hipótese porque condicionam a prerrogativa do agendamento pela mídia. Esses fatores nunca despertaram suspiros de entusiasmo no meio científico. A razão é clara. Se a comprovação de uma hipótese tão imediata e quase intuitiva como o *agenda setting* nunca foi tranqüila, a avaliação do grau de influência restritiva que cada um desses fatores condicionantes exerce sobre o agendamento representaria uma enorme dificuldade metodológica suplementar.

A. O *AGENDA SETTING* E A MENSAGEM

Três aspectos da mensagem podem interferir no *agenda setting*: sua origem[10], seu veículo e seu conteúdo. Tratamos desses dois últimos aspectos a seguir.

O VEÍCULO DA MENSAGEM

Não são muitos os estudos que procuram estabelecer as diferenças de *agenda setting* de mensagens veiculadas por diferentes veículos. Os que existem, no entanto, chegam a uma conclusão comum: há mais *agenda setting* em mensagens impressas que televisivas. McCombs (2004) afirma que

> se realizarmos uma generalização empírica nesse sentido, temos que em 50% do tempo não há diferença discernível entre o efeito de agenda-setting por jornais e por notícias veiculadas na televisão. Porém, em 50% do tempo, parece que os jornais são mais eficazes em fixar a agenda pública do que a televisão em uma proporção de 2 para 1.

A doutrina apresenta duas explicações: a primeira delas nos propõem Brosius e Kepplinger (1990) em um estudo realizado na Alemanha sobre o *agenda setting* televisivo durante todo o ano de 1986.

Os autores constataram que a cobertura televisiva influenciou a agenda do público nos seguintes temas: energia, defesa, proteção ambiental e política européia. Mas observaram também que a agenda do público determinou a agenda televisiva em outros três temas, a saber: salários de pensionistas, dívida pública e segurança. Além dessa variação ligada ao tema tratado, Brosius e

Kepplinger concluíram que a cobertura televisiva tem maior probabilidade de influenciar a agenda do público quando a cobertura de um tema específico é feita de maneira intensiva em curto espaço de tempo.

Um segundo estudo que trata do tema do *agenda setting* televisivo, desta vez comparado à mídia impressa, foi realizado por Benton e Frazier (1976). Para esses autores, o *agenda setting* televisivo ocorre em níveis de detalhamento informativo baixos, ou seja, em informações de caráter geral. Para comprovar essa hipótese, dividiram uma amostragem de mensagens televisivas segundo seu grau de detalhamento em três níveis: mensagens de nível 1, com temas genéricos como "economia", "sistema político", "ineficácia governamental" e "superpopulação". Os de nível 2 são, segundo os autores, subtemas (ou seja, mais específicos que os de nível 1), envolvendo causas e soluções de problemas de nível 1. Os exemplos mencionados são "preços altos de alimentação", "inflação" e "desemprego". As mensagens de nível 3 contêm informações específicas sobre os temas de nível 2, o que significa que avançamos um degrau em especialização e casuísmo. Como exemplo, "um imposto sobre o petróleo seria inflacionário", ou pessoas ou instituições envolvidas em problemas e suas soluções (presidente da República, um partido político, deputados etc.).

O objetivo manifesto dos autores era verificar a incidência de *agenda setting* em informações de níveis 2 e 3. Isso porque a grande maioria dos estudos de agendamento seleciona temas considerados de nível 1. Comparou-se a eficácia de agendamento de mensagens veiculadas em jornais, revistas e televisão nesses dois níveis de detalhamento. Os resultados obtidos foram bastante expressivos: enquanto jornais e revistas apresentam substantivo índice de agendamento em níveis 2 e 3, a televisão tende a não agendar informações na progressão direta de seu nível de detalhamento.

Como se pode depreender desse estudo, a incidência maior ou menor deste ou daquele veículo é função de dois fatores interdependentes: o tema tratado e o tipo de abordagem, mais geral ou mais específica. Nesse sentido, alguns temas, por sua própria natureza, requerem um maior grau de detalhamento. Além dessa vinculação temática, o veículo influi sobre o processo de agendamento porque condiciona o intervalo de tempo ótimo para que uma mensagem seja incorporada à agenda do público.

O veículo e o intervalo de tempo (*time-lag*)

Com efeito, o tempo que leva uma mensagem para ser agendada pelo público consumidor (*time-lag*) depende, segundo alguns estudos recentes, do veículo em que a mensagem foi difundida e de sua incidência geográfica (se a notícia é nacional ou local). Conforme indica o gráfico abaixo, o *agenda setting* envolve dois intervalos de tempo distintos. O primeiro (tempo A) é o intervalo de tempo entre a veiculação e o agendamento do tema veiculado, e o segundo (tempo B) é o tempo que o tema permanece agendado. Ambos os intervalos variarão em função do meio de difusão e do tema veiculado.

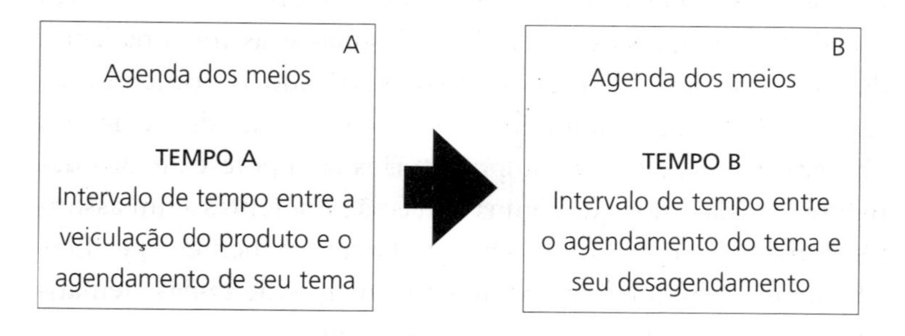

Não são abundantes os estudos sobre o *time-lag*. Uma das principais críticas de ordem metodológica que se faz ao *agenda setting* diz respeito a essa imprecisão. A aferição exata desse intervalo é obviamente impossível. Não se trata aqui de buscar o ponto de ebulição da água em condições normais de temperatura e pressão. Busca-se um tempo ótimo aproximado, seguramente sem que se domine todas as variáveis condicionantes. O veículo é apenas uma delas.

Wanta e Hu (1994) compararam os temas que mereceram cobertura da mídia durante 26 semanas com os temas mais mencionados em uma pesquisa de opinião sobre o principal problema do país (Estados Unidos) realizada no final desse período. Os resultados mostram que a cobertura televisiva tem um "prazo de impacto" ótimo mais curto do que a cobertura de jornais. Esse impacto inicial mais rápido, no entanto, tem menor duração, ou seja, os temas agendados pela televisão permanecem menos tempo na agenda do que aqueles agendados pelo jornal.

As notícias de âmbito nacional tiveram impacto mais imediato no agendamento do que as de âmbito meramente local. Entre as notícias nacionais, as que tardam mais a produzir o agendamento são as divulgadas por revistas. No entanto, conforme observamos, tanto a influência do veículo quanto o tempo ótimo de agendamento dependerão do conteúdo da mensagem.

O conteúdo da mensagem

O terceiro fator referente à mensagem que condiciona o *agenda setting* é seu conteúdo. Há temas que proporcionam discussão social mais intensa e outros, menos. Postula-se, assim, uma teoria dos efeitos variáveis em função do tema tratado. A primeira confusão que se observa aqui diz respeito ao conceito de "tema". Ao observarmos os estudos comprobatórios da hipótese do agendamento, constatamos que alguns temas são referentes a um assunto abstrato e outros se referem a um acontecimento específico. Chamaremos redundantemente os primeiros de temas "temáticos" e os segundos de temas "acontecimento".

Os temas "temáticos" são as questões de fundo que agrupam um conjunto de acontecimentos ou reflexões mais ou menos polêmicas sobre problemas sociais e preocupações públicas. Por exemplo, o desemprego, a corrupção, a inflação etc. Já os temas "acontecimento" dizem respeito a fatos concretos: um terremoto, um acidente de trânsito, a final de um campeonato de futebol etc. Os estudos americanos sobre *agenda setting* denominam os temas "temáticos" de *issues* e os temas "acontecimento" de *events*, evitando, assim, a confusão. A rigor, a fronteira entre ambos pode não ser tão clara. Um acidente nuclear (*event*) está diretamente associado à discussão sobre o desarmamento (*issue*).

Muitos autores (Saperas, 1987; Lang e Lang, 1981a) criticam os estudos sobre o *agenda setting* por servirem-se de forma indiscriminada das duas expressões. A crítica não se restringe à ambigüidade terminológica, mas, sobretudo, à confusão metodológica que ela acarreta.

A heterogeneidade dos resultados obtidos em pesquisas sobre a incidência do *agenda setting* se deve ao tratamento indiscriminado dado a temas de distinta natureza. Em outros termos: o agendamento deste ou daquele tema mediatizado depende antes de tudo do próprio conteúdo da mensagem. Um dos pesquisadores que sustenta essa tese é Zucker (1978). A idéia central é simples: quanto menos experiência direta tiverem os receptores em determinado tema, ou seja, quanto menos um tema estiver presente na vida diária das pessoas, mais dependentes estarão da mensagem mediática para informação e interpretação[11]. Por exemplo, o "desemprego' é um tema ultrapresente no repertório temático contemporâneo. Em contrapartida, um disco voador que fagocite um par de deputados na entrada do Congresso Nacional, em Brasília, não é um tema ordinário, de conversa matinal, durante um café da manhã em família, por maior que seja a aversão aos efeitos perversos do sistema representativo.

Zucker chama os temas que têm grande presença na vida diária das pessoa de *obtrusive*, e os temas de pouca presença, *non-obtrusive*. Para o autor, drogas e poluição são temas *non-obtrusive* (ou seja, que escapam à experiência diária), enquanto o desemprego, o custo de vida e a criminalidade são temas *obtrusive*. O autor afirma que as pessoas percebem o aumento do custo de vida sem nenhuma ajuda da mídia. Ao comparar a incidência desses temas nas discussões interpessoais, Zucker se dá conta de que os temas *non-obtrusive*, ou seja, aqueles cuja experiência direta do receptor é pequena, provocam elevado *agenda setting*, ao passo que os temas *obtrusive*, ou seja, aqueles já presentes no cotidiano temático dos receptores, não provocam *agenda setting*.

Cabem dois tipos de crítica à tese de Zucker: um tema não é *obtrusive* ou *non-obtrusive* em função de suas características intrínsecas; a *obtrusiveness* de um determinado tema varia em função do universo social considerado e do momento histórico em que a incidência social do tema é avaliada. Os próprios exemplos dados pelo autor em 1978 de temas *non-obtrusive* (com pouca experiência direta), como as drogas e a poluição, hoje são temas *obtrusive* em um grande número de universos sociais. Da mesma forma, uma matéria publicada em *O Estado de S. Paulo* sobre poluição em São Paulo (megalópole industrial onde o tema é diariamente tratado pelos meios e as pessoas sentem diretamente os efeitos dos altos índices de monóxido de carbono no ar) seguramente produz efeitos sociais distintos de um artigo de tamanho equivalente, publicado no *Diário de Navarra*, sobre um súbito aumento dos índices de dejetos encontrados no Rio Arga – que corta a cidade de Pamplona (Espanha) –, onde a poluição ambiental praticamente inexiste.

Outra crítica às categorias de Zucker se deve a um grande número de temas cuja oscilação na agenda do público é tal que sua categorização em *obtrusive* e *non-obtrusive* é difícil. Um tema como a pena de morte ou a homossexualidade, em que categoria se inseriria? McCombs (2004), no mesmo sentido, observa:

> para quem está desempregado ou conhece pessoas desempregadas, o desemprego é um tema *obtrusive*. Mas professores universitários, seguros em seus empregos, assim como outros profissionais afluentes, podem considerar o desemprego algo extremamente abstrato...

Se Zucker considerasse a *obtrusiveness* como um ideal-tipo, os temas se posicionariam em função da maior ou menor proximidade a esse modelo, considerados o momento histórico e o universo social no qual o tema é mediatizado, escapando assim da arbitrariedade inerente a qualquer categorização.

Essa experiência direta poderá ou não estar associada a uma maior ou menor proximidade geográfica entre o fato gerador da notícia e o receptor. Para evitar equívocos, observe-se que não há coincidência absoluta entre ambos. Não há dúvida de que a proximidade geográfica pode facilitar a experiência direta do receptor, mas essa associação nem sempre ocorre de forma imediata. Não é porque um artigo fala da produção de pasta de fígado de ganso no sudoeste da França, ou do desenvolvimento do gado suíno na mesma região, que um professor do Instituto de Estudos Políticos de Bordeaux terá necessariamente uma experiência direta com o tema. Há, sim, maior probabilidade de uma experiência indireta em função de uma presença mais constante desses temas nas comunicações interpessoais dessa região. Mesmo um não-especialista terá maior probabilidade de já ter ouvido falar sobre o assunto do que se vivesse em outro lugar.

Em pesquisa sobre a influência da proximidade geográfica no *agenda setting*, Palmgreen e Clarke (1977) observam que as informações nacionais agendam mais os receptores de uma região determinada do que as informações locais dessa região. Isso porque, admitida a associação entre a experiência direta e a proximidade geográfica, os meios de comunicação locais que veiculam informações locais esbarram em receptores menos dependentes das mensagens mediatizadas, e portanto mais autônomos na elaboração da própria agenda.

O *AGENDA SETTING* E A RECEPÇÃO

Três aspectos da recepção podem ter incidência sobre o *agenda setting*: a concorrência informativa das comunicações interpessoais, a necessidade de orientação do receptor e sua limitação temática. Trataremos, aqui, apenas deste último aspecto.

A recepção e sua limitação temática

Um terceiro fator que diz respeito ao receptor e que condiciona o *agenda setting* é sua limitação para agendar temas e a relativa estabilidade de sua agenda pública. A maioria dos estudos sobre *agenda setting* serve-se da seguinte pergunta: "Qual é para você o principal problema do país hoje?" Essa pergunta tornou-se tão freqüente que seu conteúdo ("Problema Mais Importante") foi abreviado (PMI). Nas muitas vezes em que essa indagação foi feita como parte de estudos científicos[12], o número de itens mencionados variava de maneira bastante freqüente entre 5 e 7. A opinião pública norte-americana parece particularmente sensível a 8 das 17 principais categorias mencionadas como respostas ao PMI: trabalho, dinheiro, andamento geral da economia, assuntos exteriores, o direito, a ordem, o governo e a política.

Esse número reduzido de respostas parece indicar uma limitação da agenda pública. A agenda do cidadão não funciona como depositária interminável de temas que a mídia lhe impõe. Deduziu-se, então, que, para que houvesse alternância de temas, uns substituíram outros. Essa hipótese foi comprovada por um estudo de Jian-Hua Zhu (1992). Foi utilizado um modelo matemático para demonstrar a capacidade limitada da agenda, pela análise da opinião pública sobre três questões: o déficit do orçamento federal, a Guerra do Golfo e a recessão econômica. Zhu observou que os três temas foram agendados pelo público.

No entanto, o interessante de sua pesquisa foi revelar que a capacidade de um tema manter-se agendado depende diretamente da mesma capacidade que terão os temas concorrentes[13]. Para que um tema ganhasse o status de tema agendado, era necessário que outro deixasse de sê-lo. O agendamento de um tema específico dependeria menos de suas características intrínsecas e mais de sua posição reflexiva, ou seja, em relação aos demais temas oferecidos na mídia. Pode-se dizer que essa limitação temática da agenda do público relativiza sobremaneira os fatores condicionantes que dizem respeito ao conteúdo da mensagem. Zhu concluiu que a agenda é, em última análise, um jogo de soma zero, com temas sendo agendados em detrimento de outros.

Essa diversidade de fatores condicionantes e de estudos comprobatórios contribui para uma ampliação da hipótese inicial de imposição temática. Os estudos mais recentes não se limitam a estudar a coincidência de abordagem desses temas. O estudo deixa de ser sobre o que se fala e passa a ser sobre como se fala. Além de detectar, por exemplo, que mídia e público falam prioritariamente de um candidato, a preocupação central dos estudos mais recentes é constatar empiricamente se a visão que a mídia oferece desse candidato corresponde à visão que tem o público. É a chamada segunda geração do *agenda setting*.

Diversos estudos já corroboraram a pertinência dessa segunda geração do *agenda setting*. Durante as eleições presidenciais norte-americanas de 1976, por exemplo, um estudo de Becker e McCombs (1978) observou que as descrições dos onze pré-candidatos a presidente do pais pelo Partido Democrata feitas por militantes da mesma agremiação eram extremamente parecidas com as descrições desses pré-candidatos feitas pelo semanário *Newsweek*[14].

Nessa nova perspectiva, no entanto, a hipótese de McCombs entra em concorrência com outra, já que ocupa espaço no campo acadêmico: a da imposição de abordagens temáticas em curto prazo ("espiral do silêncio")[15]. Ainda outra fase de pesquisa, de acordo com o pesquisador da Universidade de Austin, foi inaugurada: a que trata propriamente das origens da agenda da mídia. McCombs (2004) defende, nessa perspectiva, algo parecido com o que Pierre Bourdieu[16] (1996) denominou "circulação circular da informação". Trata-se da retroalimentação de pautas entre veículos de informação distintos. Ao chamar isso de "*agenda setting* intermediário", McCombs (2004, p. 113) simplesmente fornece nome diferente a um conceito antigo. Estratégia de consagração acadêmica mal-sucedida.

CAPÍTULO 6
Impor o que falar sobre: "espiral do silêncio", *knowledge gap* e *cultivation theory*

A "espiral do silêncio", como o *agenda setting*, é uma hipótese científica de sucesso. Discutida em congressos, explicada em manuais e ensinada a todos os que estudam opinião pública, consegue, no próprio título, sugerir muito de sua idéia central. Sua autora, a professora alemã Elisabeth Noelle-Neumann (1974, 1993), percorre os quatro cantos do mundo cientificamente ativo divulgando seu modelo de opinião pública. Para explicá-lo, respondemos a três perguntas: por que "do silêncio"?; por que "espiral"?; em que medida a objetividade aparente da informação mediática influi no efeito em questão?

POR QUE "DO SILÊNCIO"? O ponto de partida da análise é o medo que têm os indivíduos em geral de ficar isolados em seus comportamentos, atitudes e opiniões. Esse medo do isolamento social faz que as pessoas tendencialmente evitem expressar opiniões que não coincidam com a opinião dominante. Esse silêncio tendencial é possível porque, sustenta Noelle-Neumann, os agentes sociais têm aguda percepção das opiniões dominantes no grupo a que pertencem. Estas seriam em grande parte impostas pelos meios de comunicação. O medo do isolamento determina que agentes sociais que compartilham opinião minoritária no grupo tendam ao silêncio. Esse medo decorre da antecipação dos efeitos de um encontro com os defensores de uma opinião dominante e contrária. A discordância presumida autoriza antecipar o gasto de energia que cada interlocução exigirá. A contemplação silente do triunfo explícito ou implícito da opinião do outro é percebida como a solução menos entristecedora.

POR QUE "ESPIRAL"? A metáfora da espiral explicita a dimensão progressiva – e não simplesmente cíclica – dessa tendência ao silêncio. Quanto mais uma opinião for dominada ou ilegítima, maior a tendência de que ela não seja manifestada. Imagine a seguinte situação: os meios de comunicação, diante de um escândalo político, constroem uma imagem desfavorável de seu protagonista. Essa imagem, imposta pelos meios de comunicação, será dominante no universo social consumidor dos produtos desses meios. Isso não impede que haja, nesse universo, vozes discordantes. Elas serão minoritárias. Haverá, no entanto, uma tendência ao silêncio entre os membros desse grupo minoritário. Quando parte desse grupo se cala, a opinião discordante, que já era minoritária, se torna ainda mais minoritária[1]. O número de silentes será, portanto, maior. Aqueles que ainda persistirem exprimindo-se favoravelmente ao político terão de suportar um ônus social crescente em suas tomadas de posição. Estarão progressivamente isolados. Não encontrarão quem lhes dê apoio.

A maior parte dos agentes sociais procura evitar o isolamento, isto é, sentir-se sozinho ao sustentar pontos de vista, atitudes, crenças etc. Com esse fim, cada um observa o próprio meio para constatar quais opiniões prevalecem e quais estão em declínio. Como afirma Noelle-Neumann, quanto mais os indivíduos percebem essas tendências e adaptam suas opiniões em função dessa percepção, tanto mais um grupo se mostra dominante e o outro dominado. Assim, a tendência de um grupo de manifestar suas opiniões e do outro de se calar desencadeia um processo em espiral que estabelece, de maneira crescente, uma opinião como dominante.

É elucidativo o trabalho de Neuwirth (2000). Esse estudo foi feito com base em um questionário aplicado a 305 chefes de família. Investigou a opinião pública mexicana durante seis meses em 1982. Nesse período, o presidente López-Portillo deu lugar a Miguel de La Madrid, que obteve cerca de 68% dos votos em eleição realizada em dezembro. Durante a transição política, a amostra foi indagada acerca da disposição de manifestar opiniões sobre o ex-presidente e o novo incumbente. O resultado da pesquisa fornece sustentação à hipótese da espiral do silêncio: de um lado, quanto maior a exposição e atenção do indivíduo à mídia, maior seu conhecimento sobre o tema em questão e melhor sua percepção sobre a opinião da maioria[2]; de outro, os respondentes que compartilhavam a opinião majoritária sentiam-se mais inclinados a participar de discussões sobre o tema[3].

Outra pesquisa, proposta por Willnat *et al.* (2002), avalia a influência de características próprias aos indivíduos no efeito da espiral do silêncio em Cingapura. Em setembro de 2000, 668 adultos foram inquiridos por telefone sobre a disposição para discutir publicamente dois temas controversos: casamento inter-racial e direitos iguais para homossexuais. Supondo que a disposição para falar é determinada, em grande medida, pelas predisposições psicológicas do indivíduo, o modelo proposto pelos autores para medir essa disposição considera novos preditores: a) a representação que o indivíduo tem de si, que pode ser influenciado pela cultura do país; b) o medo do isolamento[4]; c) o medo das autoridades e d) apreensão do que foi comunicado. Os autores também utilizam variáveis mais tradicionais, como a percepção do clima de opinião pública pelo indivíduo, a exposição da mídia sobre os temas, a importância dos temas na agenda pública e fatores demográficos. Encontram sustentação apenas parcial para a hipótese da espiral do silêncio[5].

Em que medida a "espiral do silêncio" depende diretamente da objetividade aparente? Uma das condições para a ocorrência da "espiral do silêncio" é a consonância temática, ou seja, a abordagem relativamente homogênea dos mesmos fatos pelos distintos meios de comunicação.

Essa consonância tendencial não só confere ao conjunto dos produtos informativos, e indiretamente a cada informação mediatizada em separado, maior aparência de objetividade, como também permite aos meios canalizar um só fluxo de opinião, impondo-o como dominante. As diferenças de matiz permitem, de um lado, assegurar a aparência de liberdade informativa e, de outro, atender a uma exigência de marketing por fornecerem aos diferentes produtos condições de se distinguirem entre si. Mais uma vez, se a informação mediatizada não tivesse aparência de objetividade, se sua dimensão ficcional ou arbitrária fosse explícita, os efeitos próprios à sua publicação e divulgação seriam distintos[6].

Trataremos, a seguir, da posição da "espiral do silêncio" dentro da teoria da comunicação de massa e sua base teórica (I). Em um segundo momento, citaremos os principais fatores que incidem sobre a hipótese (II).

I. POSIÇÃO DOUTRINÁRIA DA "ESPIRAL DO SILÊNCIO"

A "espiral do silêncio", da mesma forma que o *agenda setting*, é um modelo que aponta grande eficácia social dos meios de comunicação. Refuta, portanto, a tese dos efeitos limitados[7]. A "espiral do silêncio" não se limita a apontar uma coincidência temática entre mídia e público (proposta inicial do *agenda setting*). Denuncia, sobretudo, que a abordagem dada pelos meios a determinado fato, respeitadas algumas condições de consonância, acaba se impondo de maneira progressiva. Ou seja, depreende-se dessa hipótese que os meios não se limitam a impor os temas sobre os quais se deve falar, mas também impõem o que falar sobre esses temas[8].

A rigor, canalização temática, imposição de certa representação dos fatos e construção de uma opinião são indissociáveis. Para Luhmann (1971), trata-se do mesmo processo, no qual a opinião pública deve ser entendida como sendo a própria agenda pública. A construção dessa opinião está imbricada no processo de seleção temática operado pelos mecanismos mediáticos de redução da complexidade social. A opinião pública deve, portanto, regular o foco da atenção pública. Colocar sobre a mesa temas de discussão e simultaneamente discriminar outros que permanecerão à margem dessa atenção. A opinião pública resultará dessa limitação temática. Assim, de acordo com Luhmann,

> a opinião pública deve ser concebida como estrutura temática da comunicação pública; não deve, no entanto, conceber-se de maneira causal como efeito produzido ou continuamente operante; deve, sim, ser concebida funcionalmente, como instrumento auxiliar de seleção de um modo contingente. A opinião pública não consiste na generalização do conteúdo das opiniões individuais por intermédio de fórmulas gerais aceitáveis por qualquer um que faça uso da razão, mas na adaptação da estrutura dos temas do processo de comunicação política às necessidades decisionais da sociedade e de seu sistema político.

Dessa forma, para a ocorrência da espiral, é preciso que haja uma opinião dominante. Em face dessa opinião, é preciso que haja o medo do isolamento por parte daqueles que não comungam dessa opinião dominante. E que esses últimos percebam qual é a opinião dominante e sua tendência, para que possam contrastá-la com a própria opinião. A percepção da opinião dominante é, portanto, um ponto central da hipótese. Talvez o mais difícil. Veremos as dificuldades de precisão conceitual e de aferição da opinião pública (A) e, em seguida, a origem doutrinária da "espiral do silêncio" (B).

A. DIFICULDADE DE DEFINIÇÃO E AFERIÇÃO DA OPINIÃO PÚBLICA

Desde a concepção platônica de opinião (dóxa), passando pela introdução do termo "opinião pública" por Rousseau, até o que entendemos hoje por opinião pública, pode-se dizer que esse conceito passou por transformações em sucessivas etapas. A dificuldade para precisar a noção de opinião pública salta aos olhos na leitura da infinidade de trabalhos que se propõem a isso. Alguns, como o sociólogo francês Stoetzel, chegam a sustentar que "a opinião pública é uma expressão da linguagem vulgar, e não é seguro que corresponda a alguma realidade cuja estrutura se possa definir ou cujas fronteiras se possa delimitar". Em famosa passagem, Herbert Blumer (1948) critica o conceito de opinião pública porque "os resultados do uso de um instrumento – a saber, a pesquisa de opinião – são tidos como o próprio objeto de estudo em vez de constituírem uma adição ao conhecimento do objeto de estudo".

A quantidade de abordagens distintas motivou Childs (1965) a classificar as definições contemporâneas de opinião pública. Enumerou, assim, cinqüenta definições com alguma especificidade que as tornasse distintas das demais. Essa diversidade de definições descredibilizou sobremaneira a noção, fazendo o conceito parecer uma ficção pertencente ao museu da história das idéias.

A essa imprecisão terminológica somaram-se críticas referentes aos procedimentos de medição da opinião pública. Sociólogos reconhecidos indicam os pressupostos inerentes aos mecanismos de sondagem e os efeitos produzidos por seus resultados, decorrentes de sua aparência de cientificidade. Destacamos os trabalhos de Patrick Champagne e Pierre Bourdieu.

Segundo Bourdieu (1984), as sondagens de opinião partiriam de três premissas falsas: em primeiro lugar, presume-se que todos teriam uma opinião formada, ou algo a dizer, sobre os temas perguntados. As pesquisas de opinião pressupõem também, segundo Bourdieu, que todas as opiniões emitidas se equivalem na composição da opinião pública. Em terceiro lugar, o simples fato de fazer as mesmas perguntas a todos pressupõe um acordo sobre os problemas e as questões que merecem ser colocadas. Ora, nenhuma dessas suposições é evidente. A escolha da população a ser entrevistada nunca é neutra e predetermina a distribuição das respostas obtidas. Se a amostragem deve ser representativa, resta perguntar, representativa do quê? Representativa da população como um todo ou das forças sociais que, de maneira desigual, nela se distribuem?

Patrick Champagne (1989) afirma que

> o sucesso técnico e mediático dessas pesquisas incentivou um uso mais abrangente. No entanto, à medida que essa técnica estendeu seu campo de intervenção, a natureza dos dados colhidos se modificou, tornando-se mais discutível cientificamente. Algumas pesquisas visam enfocar menos a opinião e mais declarações de comportamento ou práticas, como é o caso das atividades de lazer dos franceses, suas vidas cotidianas ou suas práticas sexuais. Como em qualquer pesquisa por questionário, os indivíduos entrevistados, segundo os temas abordados e segundo seus interlocutores, nem sempre declararão, como sabemos, tudo o que fazem, e, contrariamente, não fazem tudo o que dizem fazer.

Apesar dessas críticas sobre os mecanismos de aferição da opinião pública e de tantas outras aqui não citadas, o termo "opinião pública" continua sendo utilizado em escala crescente, sobretudo com o advento e aperfeiçoamento do método das sondagens de opinião. Emil Dovifat (1964), de forma resignada, constata que "o conceito se nega a morrer". Habermas (1962), em seu discurso inaugural sobre "A mudança estrutural no conceito do público: a pesquisa na sociedade burguesa", observa que ao uso coloquial crescente do termo se soma a incapacidade dos cientistas de substituir categorias tradicionais como "opinião pública" por outras mais precisas.

A noção de opinião pública não está a salvo da contenda entre os partidários de superefeitos e os partidários de efeitos limitados. Os primeiros tendem a atribuir à opinião pública prerrogativas de manipulação. Nessa perspectiva, Habermas observa que a opinião pública manipula porque é elaborada pelos mais favorecidos em um espaço público. Esse espaço, como campo racional de discussão, desconsidera o papel dos afetos na formação da opinião. Toda ação seria estrategicamente fundada visando a manutenção da ordem estabelecida. Os estudos empíricos não são tão conclusivos nesse sentido.

Nessa mesma perspectiva de manipulação da opinião pública, Baudrillard (1970) observa que a simbolização da realidade pelos meios faz aceitar o sistema de dominação que caracteriza a sociedade de consumo. Também nesse sentido Stuart Hall salienta que o sistema dos meios impõe certo código de leitura das relações sociais que funcionaria em proveito da ordem estabelecida. Entretanto, se opinião pública e manipulação parecem caminhar de braços dados, como efetivamente se dá esse processo de manipulação? Como a "opinião pública" se reproduz como opinião dominante?

Aqui a hipótese da "espiral do silêncio" se apresenta como uma tentativa de explicação desse processo. Curiosamente, a redução progressiva das opiniões dominadas não se daria em função de uma eventual superioridade retórica e argumentativa da opinião dominante nem em função do meio que a difunde, e sim graças a uma característica própria à psicologia social: o medo que tem o ser humano de estar isolado. Esse receio só existe porque é possível, ou melhor, inevitável que os agentes sociais façam para si mesmos uma representação das opiniões dominantes e da posição de suas opiniões em relação às primeiras.

A adequação ou inadequação da própria opinião à opinião dominante é tema presente na literatura consagrada à opinião pública desde a década de 1920. Talvez por essa razão observe McQuail (1994), com exagero, que as idéias propostas nesse modelo não são novas, mas se apresentam de uma forma nova. Allport (1937) batizou esse contraste de opiniões como "ignorância pluralista". Esse termo foi retomado mais tarde por O'Gorman (1975) em um trabalho sobre a idéia que fazem os brancos da segregação racial dos negros pelos brancos[9]. Sobre esse contraste e alinhamento tendencial, a "espiral do silêncio" talvez seja a explicação mais acabada. No entanto, outras hipóteses surgiram para explicá-la com sucesso desigual.

A hipótese da "percepção do olhar de vidro" desenvolvida por Fields e Schuman (1976) e aperfeiçoada por D. G. Taylor (1982), passou a ser denominada posteriormente pelos psicossociólogos de "efeito do falso consenso". Segundo essa hipótese, muitas pessoas acreditam que suas opiniões são as mesmas da maioria. Ao assumirem que suas opiniões sobre certo tema são razoáveis, e ao pressupor que a maioria das demais pessoas também tenha opiniões razoáveis, acreditam que eles teriam sobre esse tema específico a mesma opinião.

A segunda hipótese que busca esclarecer as múltiplas nuances do tema é a da "projeção dissonante", trabalhada por Glynn (1986). De acordo com essa hipótese, os indivíduos sucumbem às pressões sociais quando perguntados sobre temas a respeito dos quais suas reais opiniões são socialmente condenáveis. Quando questionados sobre esses temas, tenderão a dar respostas "politicamente corretas" (dissonância). No entanto, se perguntados sobre a opinião dominante, tenderão a fornecer sua própria opinião (projeção). Isso lhes permite responder "corretamente" às perguntas, ou seja, adequar seu posicionamento social à opinião legítima sobre o tema e à expectativa dos interlocutores e, simultaneamente, salientar que sua real opinião (não manifestada como tal) é a dominante.

A terceira hipótese, que teve mais eco nos meios acadêmicos voltados ao estudo da comunicação, é o "efeito da terceira pessoa". Constata-se que as pessoas raramente admitem efeitos da mídia sobre si mesmas, mas reconhecem que esses efeitos existem sobre as demais pessoas. Essa percepção geral dos efeitos "sobre os demais" se acentua quando se trata de uma alteração de representação ou de comportamento percebida pelo entrevistado como negativa.

O "efeito da terceira pessoa", detectado por Davison (1983), tem ampla comprovação empírica. Limitemo-nos a um exemplo da política brasileira. Em pesquisa de opinião realizada por Andrea Margit[10] sobre a eleição e impeachment do ex-presidente brasileiro Fernando Collor de Mello, constatou-se que 93,8% dos entrevistados considerou os meios de comunicação como a principal causa de sua vitória nas eleições presidenciais. No entanto, entre os eleitores de Collor, apenas 22,7% admitiu que sua escolha tenha sido conseqüência de exposição às mensagens veiculadas pela mídia.

Essas três hipóteses, que admitem a percepção, por parte dos indivíduos, da opinião dos demais, não fornecem dela uma explicação acabada. A "espiral do silêncio" parte da mesma idéia de contraste da opinião própria com a representação que se tem da opinião alheia (no caso a dominante) e centra sua hipótese no medo de isolamento de cada um. Por isso o modelo conseguiu imprimir ao processo de construção de uma opinião como legítima o dinamismo e a progressividade inexistentes nas demais hipóteses. A teoria da "espiral do silêncio" serve-se para isso de amplo e diversificado arsenal doutrinário, que passa pelos clássicos da teoria política, por experimentos de psicologia e por um sofisticado estudo das pesquisas de opinião. Daí sua rica origem doutrinária.

B. A ORIGEM DOUTRINÁRIA DA HIPÓTESE

Noelle-Neumann (1993) aponta de forma bastante completa todas as fontes inspiradoras de sua hipótese. Coloca, no entanto, em pé de igualdade fontes de relevância desigual. Dividiremos essas fontes em indiretas e diretas. As indiretas enfatizam a importância da opinião pública no comportamento individual, e as diretas apontam a tendência ao silêncio quando a opinião pública não coincide com a individual.

A importância do conceito de opinião pública foi intuída há muito tempo. Se fôssemos propor a genealogia da idéia, remontaríamos aos pré-socráticos ou antes. Platão, citando Sócrates, apontava a opinião como um fruto de uma situação intermediária entre o conhecimento e a ignorância. No entanto, a expressão "opinião pública" é muito mais recente. Embora haja registros na literatura[11], o primeiro filósofo a servir-se do termo com pretensões conceituais foi Jean-Jacques Rousseau.

Rousseau tinha asco ao público. "Só via o horror de ser reconhecido e proclamado em público e na minha presença como ladrão, mentiroso e caluniador". Em sua obra são freqüentes as referências que imputam à reação do público um caráter atemorizador: "Tudo isso impeliu à exaltada multidão, incitada não sei por quem, a voltar-se contra mim até a ira, até insultar-me publicamente à luz do dia, e não só em pleno campo, mas também no meio da rua".

Para Rousseau, o Estado se estrutura em três tipos de leis: o direito público, o privado e o civil.

> Além dessas três classes de leis há uma quarta, a mais importante, que não está gravada em mármore e bronze e sim no coração dos cidadãos; uma verdadeira constituição do Estado cuja força se renova a cada dia, que dá vida às outras leis e as substitui quando envelhecem ou desaparecem [...] Refiro-me à moral, aos costumes e, sobretudo, à opinião pública.

Como observa Noelle-Neumann, "Rousseau entende melhor que ninguém o aspecto essencial da opinião pública, permitindonos reconhecer todas suas manifestações: representa uma transação entre o consenso social e as convicções individuais"[12].

Essa preocupação em classificar as leis do Estado também inspirou Locke a refletir sobre a opinião pública. O inglês também aponta a existência de três tipos de leis: a lei divina, a lei civil e a lei da virtude e do vício, da opinião ou da reputação, também chamada lei da moda. Assim Locke explicava esta última: "Notaremos que a maior parte da história da humanidade se guia, se não unicamente, por essa lei da moda. Isso faz com que os homens mantenham sua boa reputação entre seus conhecidos, levando pouco em consideração as leis de Deus ou do juiz". Locke segue comparando a eficácia das leis: "Quanto aos castigos conseqüentes das leis do Estado, criam-se ilusões com a esperança de impunidade. Mas ninguém que atenta contra a moda e a opinião das companhias que freqüenta se livra do castigo da censura e do desagrado desta".

Também enfatizando a importância da opinião do grupo, David Hume (1896) observa que "o governo é fundado exclusivamente pela opinião". Madison (1788), outra fonte indireta de Noelle-Neumann, antecipa muitas conclusões sociológicas recentes em seus artigos federalistas: "A razão humana é, como o próprio homem, tímida e precavida quando se encontra só. E adquire força e confiança na proporção do número de pessoas que a sustenta".

Esses autores citados por Noelle-Neumann como fontes de sua "espiral do silêncio" colocam em relevo o papel desempenhado pela opinião do grupo social. Nenhum deles, no entanto, enfoca um caso específico. Todos, guardadas suas diferenças, fazem análises filosóficas de cunho genérico. Nesse ponto, a última fonte citada por Noelle-Neumann se destaca. Ao estudar o caso da Revolução Francesa, Tocqueville indica a real influência da opinião pública da época sobre os grupos e instituições.

O nome de Alexis de Tocqueville é comumente associado a sua primeira grande obra, *De la démocratie en Amérique* (1835 e 1840). No entanto, seu segundo grande livro, *L'Ancien Regime et la révolution* (1856), é o mais citado pelos estudiosos do conceito de opinião pública. Serviu de fonte doutrinária para a elaboração da "espiral do silêncio". Já nas primeiras páginas da obra, Tocqueville anteviu todos os elementos destacados na espiral: o medo do isolamento, a tendência ao silêncio, a necessidade de consonância.

Estudando as características da revolução em um panorama mais sociológico que histórico, Tocqueville observou que o furor anticlerical dos revolucionários desencadeou o progressivo isolamento dos defensores da igreja. Estes compunham um grupo que, embora numeroso, tendia ao silêncio por se sentir minoritário. Observou que a pressão da opinião pública se faz sentir com maior intensidade quando a sociedade se encontra desestruturada, ou em situação de aparente desigualdade. De acordo com o autor, sempre em situações igualitárias (ou em que se busca a igualdade), a opinião pública pressiona as mentes dos indivíduos com grande força, rodeia-os, dirige-os, oprime-os. E isso se deve muito mais à própria constituição da sociedade do que a suas leis políticas. Quanto mais se parecem os homens, mais fraco se torna cada um deles em relação aos outros. Como não percebe nada que o eleve sobre os demais, perde sua força e até duvida de seus direitos; pensa estar equivocado quando a maioria de seus compatriotas afirma que está.

Continua Tocqueville:

> Quando o habitante de um país democrático se compara individualmente com todos os que o rodeiam, sente com orgulho que é igual a todos. Mas quando considera a totalidade de seus iguais e se compara com um conjunto tão grande, sente-se imediatamente incômodo pela sensação de sua própria insignificância e debilidade. A mesma igualdade que o torna independente de cada um de seus concidadãos, tomados em conjunto, o expõe à influência da maioria.

Assim, o historiador francês, embora sem recorrer aos métodos da sociologia contemporânea, chegou a conclusões muito próximas ao que hoje se entende pela influência da opinião pública sobre o indivíduo. A tendência ao silêncio denunciada por ele o torna um precursor da "espiral" distinto dos demais. Daí sua classificação neste livro como fonte direta da hipótese.

Concluímos as fontes apontando um quase esquecimento. Noelle-Neumann (1993) apenas cita rapidamente Durkheim como fonte. No entanto, seus pressupostos estão presentes em toda a fundamentação da hipótese. Se, para Noelle-Neumann, a opinião pública não é a somatória da opinião dos indivíduos, mas tem autonomia em relação a estes – em outras palavras, se a opinião pública é causa e não conseqüência da opinião individual – o que ela está dizendo é que há uma anterioridade lógica e cronológica do social em relação ao individual, apontada por Durkheim desde *De la division du travail social* (1893).

Para Durkheim, no entanto, o peso da opinião pública seria sentido com maior intensidade nas sociedades unidas pela chamada "solidariedade mecânica", ou seja, onde há importante presença, entre seus membros, da "consciência coletiva". Já nas sociedades nas quais prevalece a "solidariedade orgânica", a opinião pública teria menor influência sobre as opiniões individuais. Semelhança notável com o pensamento de Tocqueville. Nas sociedades em que prepondera a "solidariedade mecânica", os indivíduos se interdependem em função de sua semelhança. Já no caso de preponderância da "solidariedade orgânica", a vida em sociedade se justifica pela complementaridade dos indivíduos, enfim, pela diferença recíproca.

Noelle-Neumann não faz essa distinção. Embora cite em seu livro a igualdade como causa da influência da opinião pública explicada por Tocqueville, em momento algum a autora alemã ratifica essa conclusão. Para ela, a opinião pública é determinante sobre o comportamento público do indivíduo em qualquer tipo de sociedade, em função do medo do isolamento inerente à natureza humana. Apesar dessa diferença de enfoque em relação a Durkheim, o pensador francês é o grande injustiçado entre os inspiradores da "espiral".

II. FATORES CONDICIONANTES DA "ESPIRAL DO SILÊNCIO"

Muitos fatores incidem sobre as tomadas de posição pública e conseqüentemente sobre o fenômeno da "espiral do silêncio". Destacaremos dois deles: o medo do isolamento e a competência específica do agente social para manifestar-se sobre este ou aquele tema.

A. O MEDO DO ISOLAMENTO

O ser humano tem horror ao isolamento opinativo. Sustentar uma opinião contrária à da maioria traz desconforto. Esse medo é generalizado e estatisticamente comprovado. Para evitar esse isolamento, é preciso intuir qual é a opinião dominante. Só a percepção relativamente aguda do que pensam os demais e em qual sentido se deslocam essas opiniões permite ao ser humano manifestar-se em sociedade sem suportar o ônus da reprovação de seus pares.

Os estudos sobre essa capacidade de detectar a opinião dominante são – quase exclusivamente – eleitorais. Invariavelmente duas perguntas são propostas: "Qual o seu candidato?" e "Para você, quem vai ganhar as eleições?". Procura-se comparar a própria opinião com a percepção da opinião majoritária, bem como a acuidade dessa última. Noelle-Neumann cita uma série de pesquisas realizadas na Alemanha sobre o eleitorado social-democrata e democrata cristão. O acerto estatístico da percepção do candidato que venceria a eleição, embora oscilante, se mostrava bastante significativo[13].

Constatada a percepção da opinião pública e a oscilação da disposição para sustentar em público um ponto de vista, as atenções voltam-se para o terceiro pressuposto da "espiral", a sua base psicológica: o medo do isolamento. Uma pesquisa interessante citada por Noelle-Neumann foi realizada pelo psicólogo Solomon Asch (1951). O experimento de laboratório realizado pelo autor revela que poucos indivíduos confiam em si mesmos quando confrontados com uma opinião externa. Exibiu-se ao entrevistado, numa primeira fase, uma linha reta desenhada. Ao lado, no mesmo papel, outras três linhas, sendo que só uma delas apresentava o mesmo tamanho da linha modelo. Todos os entrevistados, diante da evidência dos tamanhos, acertaram. No entanto, em uma segunda fase, os entrevistados eram influenciados por uma resposta equivocada que indicava uma linha claramente mais curta que a linha modelo.

O objetivo era verificar a reação de cada entrevistado diante de uma opinião contrária, ostensivamente incorreta. Mesmo numa decisão sem importância como essa, a maioria dos entrevistados cedeu à pressão da resposta indicada. Comprovando o que havia denunciado Tocqueville um século antes, "temiam mais o isolamento que o erro".

Esse medo do isolamento, segundo Noelle-Neumann, determina o minguamento progressivo das opiniões dominadas quando confrontadas com opiniões majoritárias. No entanto, temos de observar que esse medo se manifesta nos atores sociais de maneiras distintas. Nem sempre o indivíduo que sustenta uma opinião minoritária se calará. Um dos fatores que condiciona essa tomada de posição pública é a competência específica para abordar os temas em discussão, ou seja, os temas da agenda pública.

Uma crítica epistemológica comumente feita aos trabalhos que procuram comprovar a hipótese da espiral do silêncio é explicitada por Scheufele e Moy (2000). Esses autores afirmam que os estudos de caso sobre a espiral do silêncio em diversas culturas nunca consideram variáveis específicas a cada cultura que podem diminuir a importância da percepção da opinião pública por um determinado indivíduo como preditora de seu comportamento. Em outras palavras, as diferenças de cultura para cultura, de país para país, seriam fatores-chave para explicar o que faz um indivíduo expressar sua opinião. Essa falha da literatura é parcialmente sanada por Huang (2005), que explora os efeitos das condições culturais – especialmente a dimensão individualismo/coletivismo – na expressão de opiniões. Os países analisados são Estados Unidos, de cultura individualista, e Taiwan, de cultura coletivista. O resultado da pesquisa mostra que a hipótese da espiral do silêncio se comprova apenas em Taiwan – ou seja, onde a cultura não é individualista.

B. COMPETÊNCIA ESPECÍFICA (A HIPÓTESE DO *KNOWLEDGE GAP*)

Sobre temas da agenda privada todos falam. A forma das intervenções varia, mas os temas que dizem respeito à vida privada de cada um são tratados em circuitos de relações mais ou menos abrangentes. Por isso, a questão a que nos referimos diz respeito a temas da agenda pública. Essa limitação temática torna os meios de comunicação fator decisivo na construção e imposição da opinião dominante. Se, como vimos, são os meios que oferecem o menu temático comum, são também os que têm prerrogativa de indicar qual o enfoque a ser dado a cada um desses temas. No entanto, mesmo na discussão de assuntos políticos, por exemplo, outros fatores, além da opinião da mídia, influenciam uma eventual manifestação pública. A competência específica para abordar o tema é um deles.

A maior ou menor disposição para que um indivíduo se manifeste, exiba sua opinião diante de outros sobre um tema político, dependerá da sua maior ou menor familiaridade no manejo desses temas. Essa familiaridade, por sua vez, está vinculada a seu grau de politização. Quanto maior o grau de politização, maior a tendência a uma manifestação pública sobre um tema político. Esse grau de politização envolve um conjunto de elementos cognitivos, avaliativos e afetivos.

Por exemplo, o conhecimento dos atores políticos: há poucas chances de que alguém que não saiba quem é Antonio Palocci se manifeste sobre a atuação do ex-ministro da Fazenda do governo Lula; o conhecimento, também, das instituições legislativas, executivas, judiciárias, partidárias, sindicais etc.; o conhecimento dos troféus em disputa no campo político, eletivos e por indicação, das regras dos embates políticos, das tomadas de posição propriamente políticas etc. O grau de politização depende também da capacidade de construção de um espaço mental onde os profissionais da política ocupam posições de forma reflexiva, em torno dos eixos estruturantes como direita/esquerda, governo/oposição etc. Depende também da identificação com este ou aquele partido ou profissional e da capacidade de fazer um juízo de valor sobre a atuação deste ou daquele partido político.

Ora, a competência específica para falar em público sobre política, função direta do grau de politização, vai além da adequação eventual da opinião do indivíduo com a opinião dominante. O medo do isolamento será tanto mais decisivo na tomada de posição quanto menor a confiança que tiver o indivíduo na sua argumentação. Esta confiança depende de todo o conjunto de elementos constitutivos do grau de politização.

Essa competência específica, própria de cada um, se traduz, em um nível macrossociológico, em intervalos de conhecimento e de absorção de informação entre grupos de indivíduos bem-preparados e malpreparados. Esse intervalo é o ponto central da hipótese do *knowledge gap*.

Para o senso comum, objetivado em longas listas de funções da mídia, seus produtos socializam o conhecimento. O fato de a recepção, sobretudo televisiva, se dar de forma intensa em todos os níveis sociais serve de argumento para que se acredite na tese "democratizadora" da veiculação informativa. No entanto, as pesquisas realizadas com universos de escolaridade discrepante sobre os efeitos cognitivos da recepção informativa mostram o contrário. Os grupos de maior capital cultural, que também ocupam posições superiores na escala socioeconômica, apresentam uma percepção e retenção da informação sempre superior aos grupos de nível de instrução inferior[14]. A distância de conhecimento entre esses grupos, em vez de diminuir, aumenta. Os meios de comunicação servem como instrumento de reprodução das desigualdades culturais. Essa é a hipótese do *knowledge gap* ("intervalo de conhecimento") apresentada pela primeira vez por Tichenor, Donohue e Olien (1970, 1975). Observe o gráfico:

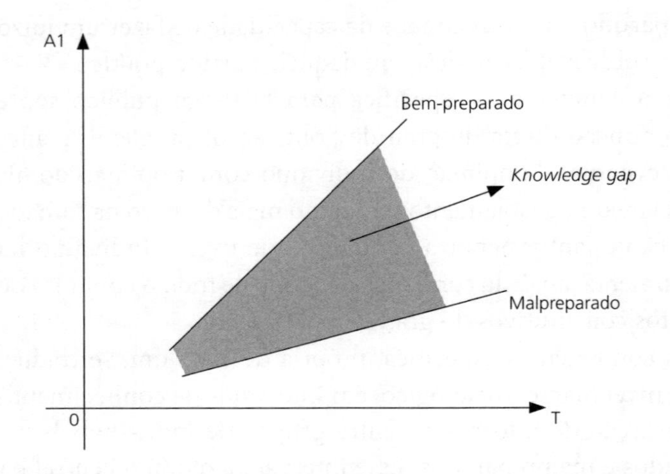

Como indica o gráfico, a absorção da informação (A1) é função do grau de instrução (e do nível socioeconômico) do receptor. Observe que o intervalo de conhecimento aumenta à medida que a recepção se desenvolve. Conseqüentemente, o aumento da informação mediatizada contribui para o aumento desse intervalo.

A comprovação empírica da hipótese do *knowledge gap* é controvertida[15]. Enquanto muitos estudos atestam a efetividade do fenômeno, outros, e não são poucos, não o demonstram. Gaziano (1983) cita uma série desses estudos. Não repetiremos a lista. A dificuldade de comprovação em alguns casos e a plena comprovação em outros nos fazem concluir que o distanciamento de conhecimento entre grupos sociais depende de outros fatores além das discrepâncias do grau de instrução. A análise de estudos e artigos dispersos na doutrina nos indica que há fatores relacionados com o conteúdo da informação e outros relacionados com o receptor.

O intervalo de conhecimento poderá aumentar ou não, dependendo do tema da informação, isto é, do conteúdo da mensagem[16]. O primeiro elemento temático que tem incidência sobre o intervalo é a sua complexidade. É intuitivo que quanto mais complexo o tema, maior a probabilidade de o intervalo se acentuar[17]. Embora seja intuitivo, a comprovação científica desse fator não é fácil. O que é um tema complexo? O que o distingue de um tema simples? Que critério senão seu grau de abstração em relação a um repertório mediano? Mas como defini-lo?

Além da complexidade, a funcionalidade do tema poderá acentuar ou diminuir o intervalo. Quando a informação é indispensável para o receptor, ele tende a buscar todas as fontes possíveis para aumentar a sua compreensão. Essa funcionalidade temática está vinculada ao interesse que tem o receptor pelo tema em pauta[18]. O interesse do receptor pelo tema, para alguns pesquisadores, é fator que age de forma sobreposta ao nível de educação[19]. Já para outros, os distanciamentos constatados devem ser essencialmente explicados pelos desníveis de interesse, que poderão ou não indicar desníveis de educação. O interesse pode levar o receptor menos preparado a diminuir um intervalo de conhecimento inicialmente crescente. Observe o gráfico:

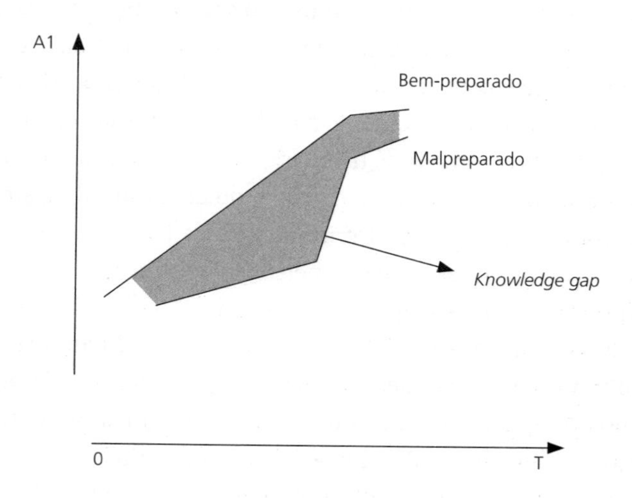

Enquanto o receptor bem-preparado atinge um ponto de saturação, quando tende a se desinteressar pelo tema e iniciar a absorção de outra informação, o receptor malpreparado quebra uma tendência de distanciamento em relação ao bem-preparado a partir de um ponto de recuperação. São várias as explicações possíveis: a repetição da informação pelos diferentes meios de difusão, as comunicações interpessoais sobre o tema, que podem ter maior eficácia pedagógica, a própria reflexão individual sobre o tema após um certo intervalo do início da exposição à informação, e outras[20].

Um último fator é a proximidade geográfica do fato da informação em relação ao receptor. Quanto maior a distância, maior a probabilidade de se reproduzir um intervalo crescente. À dependência dos meios como única fonte de informação, nesses casos, se soma a falta de familiaridade com temas que não são locais. Por essa razão, são as matérias de jornalismo internacional que apresentam maior *knowledge gap*, por requererem em regra para atribuição de sentido um número de referenciais cognitivos superior aos temas locais.

Todos esses fatores certamente influenciam os desníveis de conhecimento num determinado universo social e, por sua vez, são decisivos na construção de uma opinião como dominante. Dessa forma, poderíamos concluir que a hipótese da "espiral do silêncio", que imputa ao medo do isolamento a disposição para sustentar uma opinião em público, também é tributária da competência específica do receptor, da posição social que ocupa, do custo social próprio a qualquer tomada de posição discriminante e da legitimidade social específica (reconhecimento de competência específica).

A hipótese do *knowledge gap* é uma das mais férteis entre as teorias de comunicação coletiva. Ao enfocar a distribuição do conhecimento na sociedade, o *knowledge gap* interessa de perto não só aos pesquisadores dos efeitos da mídia, mas também os sociólogos e educadores. A rigor, a recepção dos meios de comunicação é cada vez mais aceita como parte integrante da vida escolar. Os processos seletivos observados na recepção mediática estão, respeitadas as diferenças, também presentes na sala de aula. Além disso, é crescente o uso de produtos mediáticos como material pedagógico escolar[21].

As diferenças de capacidade de absorção informativa apontadas pelo *knowledge gap* são conseqüência de uma combinação de diferenças que vai além do consumo da própria mídia. Decorrem da trajetória escolar e nas mais distintas instâncias de socialização. A diferença de consumo dos meios funciona como um reagente químico que dá cor, coloca em evidência, ajuda a perceber de forma mais clara um fenômeno de causa polifacética.

CULTIVATION THEORY

Se você treina o ato de escrever por horas diárias a fio, começa a pensar e perceber o mundo de maneira diferente. Se você corre por vinte minutos todos os dias, seu físico se transforma sutilmente. Se trabalha em um escritório, começa a pensar como um executivo. E se assiste seis horas de televisão por dia?, pergunta Novak (1986, p. 583). Dado que a nossa sociedade gasta mais tempo vendo televisão do que fazendo qualquer outra coisa (exceto dormir e trabalhar), não seria surpreendente se descobríssemos que a televisão "molda a alma", respondem Shanahan e Morgan (1999, p. 2).

A hipótese segundo a qual quem assiste televisão por muitas horas terá tendência a enxergar a realidade de maneira distinta, com concepções de mundo congruentes com as imagens e valores mais divulgados pelos meios de comunicação de massa, é a hipótese que guia a teoria da aculturação (*cultivation theory*). Em outras palavras, aqueles que passam mais tempo vendo televisão têm maior tendência a perceber o mundo real de maneira a refletir as mensagens mais comuns e recorrentes do mundo televisionado, ao contrário daqueles que vêem menos televisão mas são, de resto, semelhantes às pessoas que assistem por mais tempo.

Afirmar que boa parte das percepções que temos sobre o mundo provém da televisão é algo banal. Afinal, como apontam Gerbner e Gross (1976, p. 22) no texto que deu origem aos estudos de aculturação, quantos de nós já estivemos em uma sala de cirurgia, em um tribunal de justiça, em uma delegacia de polícia, em uma cadeia, em um apartamento luxuoso, na sala principal de reuniões de uma importante empresa multinacional, em um estúdio de cinema, ou em inúmeros outros cenários normalmente retratados por programas de televisão? Mas quanto "sabemos" sobre lugares como os citados e sobre as pessoas que trabalham e vivem neles? Quão importante é a televisão na definição das imagens que temos sobre o mundo real? Daí a pertinência dos estudos sobre aculturação, preocupados em responder essa última pergunta. A aculturação implica padrões de estabilidade entre sistemas de imagens e práticas culturais, estilos de vida e estruturas de crenças identificáveis em longo prazo. As pessoas nascem em um ambiente simbólico que tem a televisão como principal personagem. A maioria das crianças começa a ver TV muitos anos antes de aprender a ler, antes até de saber falar. Não é de espantar que a televisão molde estilos de vida e pontos de vista.

Quais são os pressupostos dessa corrente analítica nos estudos da comunicação? O principal se refere à concentração da propriedade dos meios de comunicação de massa. Os estudos de George Gerbner tiveram como origem a observação de que o processo de contar histórias pelo meio televisivo tem sido cada vez mais monopolizado por um pequeno grupo de conglomerados globais de mídia preocupados apenas em agradar seus investidores.

Se a teoria da aculturação é uma teoria crítica, é uma teoria que trata do papel da mídia no controle social. Ou seja, ela examina como a mídia é usada em sistemas sociais para forjar consensos sobre temas por meio de discursos e suposições sobre prioridades e valores socialmente compartilhados. Shanahan e Morgan (1999) argumentam que o sistema funciona de maneira a beneficiar as elites sociais, definindo-as como os grupos de indivíduos que se aproveitam das vantagens da sociedade moderna e industrializada. Não existe uma conspiração de membros do primeiro-mundo para passar suas mensagens para um público passivo. Mas as instituições culturais dominantes, claramente a serviço das elites econômicas, estão sistematicamente estruturadas de modo a favorecer os pontos de vista e as informações que beneficiarão esses membros da elite em longo prazo.

Desse pressuposto resultam cinco proposições, listadas por Shanahan e Morgan (1999) a partir dos estudos já existentes, sobre o funcionamento da aculturação: (1) as instituições de comunicação de massa têm como donos as elites sociais, culturais e, especialmente, econômicas; (2) as elites sociais e econômicas codificam as mensagens da mídia de modo a servir seus interesses; (3) a tendência que as mensagens expostas pela mídia têm de serem conformes aos interesses e desejos da elite é revelada por meio de estudos empíricos; (4) os telespectadores, queiram eles satisfazer ou não seus interesses particulares, participam de um processo social no qual assistem e internalizam mensagens das elites sociais[22] e (5) os telespectadores mais "fiéis" à mídia terão estruturas de crenças mais consoantes àquelas desejadas pelas elites sociais.

Com esses cinco pontos em vista, cabe frisar que o fenômeno da aculturação não implica um impacto causal monolítico, do estilo "agulha hipodérmica", mas é, isto sim, uma contribuição sutil, complexa e misturada a outras influências. Deriva da interação dinâmica e recíproca entre os meios e seus públicos. A aculturação pode ser definida da seguinte forma: os modelos dominantes de produção cultural tendem a gerar mensagens e representações que nutrem e sustentam as ideologias, perspectivas e práticas das instituições e contextos culturais nos quais se originam. Uma pessoa que tem os tipos de valores, crenças e estilos de vida mais congruentes com as imagens, mensagens e histórias expostas na televisão – e que assim estaria mais apta a passar boa parte de seu tempo assistindo televisão – provavelmente teria esses valores e crenças sustentados pelos meios de comunicação em longo prazo. Portanto, a aculturação trata das implicações de estáveis, repetitivos e inescapáveis padrões de imagens e ideologias que a televisão – sobretudo programas de ficção e entretenimento – fornece. Em outras palavras, a análise da aculturação foca correlações e conseqüências da exposição acumulada ao mundo televisionado durante um longo período de tempo.

Como, então, medir a aculturação? Como já dissemos, a análise da aculturação busca verificar se há relação entre o tempo gasto assistindo televisão e a tendência a responder perguntas de questionários de acordo com os fatos, valores e ideologias repetidas e dominantes no mundo televisionado. Neste tipo de análise, o ato de assistir televisão é visto em termos relativos. A definição sobre o que constitui assistir TV de maneira *light*, *medium* e *heavy* é feita de acordo com os interesses de cada pesquisa. Os analistas examinam, por exemplo, em que medida os *heavy viewers* aprendem sobre o mundo real a partir de padrões embutidos (repetidos, repetidos, repetidos...) no mundo simbólico da televisão.

A diferença percentual nas respostas a questionários dadas por *heavy* e *light viewers* é definida como o "diferencial da aculturação". Suponhamos que 52% dos *heavy viewers* digam que serão, muito provavelmente, vítimas de um crime violento dentro de um ano, enquanto apenas 39% dos *light viewers* concordam com essa afirmação. Nesse caso, o "diferencial da aculturação" seria de + 13 e, mantendo constantes outras variáveis, essa diferença entre *light* e *heavy viewers* seria vista como apoiadora da hipótese da aculturação.

Shanahan e Morgan (1999) realizaram uma meta-análise de estudos sobre aculturação. Trata-se de um artifício que permite aos pesquisadores tratar estudos independentes, separados, como dados individuais e então determinar se esses trabalhos podem ser considerados um corpo único de pesquisa que tem uma conclusão específica como resultado. O que melhor justifica esse tipo de análise é a possibilidade de retirar parte da subjetividade do processo de revisão bibliográfica. Os autores coletaram todos os estudos publicados sobre aculturação desde 1976. São 97 trabalhos – artigos, *papers* apresentados em congressos de comunicação, livros. Codificaram todos os resultados, considerando como tais qualquer estimativa estatística que mostre a relação entre horas de TV assistidas e alguma variável dependente – ou seja, alguma variável que se queira explicar a partir do acesso a televisão.

O primeiro estudo sobre aculturação, realizado por Gerbner e Gross (1976), reportou 25 resultados que relacionavam a televisão a diversos pontos de vista sobre crime e violência. Neste trabalho, a estimativa estatística da diferença entre *light* e *heavy viewers* foi bem parecida à dos estudos que seguiram. Existe, em geral, uma pequena e positiva correlação entre a exposição à televisão e as crenças sobre o mundo. De adolescentes argentinos (Morgan, 1990), adultos de Toronto (Doob e Macdonald, 1979) a negros de Washington D.C. (Matabane, 1988), todos os estudos revisados pela dupla de autores apresentam alguma correlação. Mas Shanahan e Morgan (1999, p. 121) notam que "mesmo variáveis que são tidas como boas preditoras de comportamentos não apresentam correlações muito altas. Isso se deve à natureza imprevisível do comportamento humano, difícil de medir. Há muita variação que não podemos, e nunca poderemos, explicar".

No mesmo estudo de Gerbner, os entrevistados foram perguntados se o número de pessoas envolvidas em atos violentos toda semana estava mais próximo de "1 em cada 10" (a resposta "televisiva") ou de "1 em cada 100". Neste estudo, 39% dos *light viewers* e 52% dos *heavy viewers* deram a resposta "televisiva". Padrões semelhantes foram encontrados em relação à confiança. Quando perguntados se "podemos confiar na maioria das pessoas", 48% dos *light viewers* e 65% dos *heavy viewers* responderam que "todo cuidado é pouco".

Quase trinta anos de analise sistêmica sobre mensagens televisivas revelam um mundo definido pela estável e proeminente sobre-representação de homens brancos no auge da existência. Há duas vezes menos mulheres do que homens, e a elas não se facultam todas as atividades e oportunidades existentes para os homens. Os homens brancos dominantes cometem mais atos violentos, enquanto crianças, mulheres e idosos tendem a ser suas vítimas. O censo norte-americano de 1970 mostrou que 1% dos homens adultos pertencentes à população economicamente ativa tinham empregos na área de combate ao crime. No mundo televisionado, 12% dos personagens se encaixavam nessa descrição. Ou seja, a televisão nos mostra uma sociedade abundante de policiais, detetives e advogados criminalistas. O crime no horário nobre é, no mínimo, dez vezes mais presente do que no mundo real. Há, em média, cinco atos violentos por hora, envolvendo mais da metade dos protagonistas. É forçoso dizer que a televisão estimula diretamente atos violentos por parte dos telespectadores. Os estudiosos do fenômeno da aculturação são unânimes em reconhecer que casos de violência obviamente estimulados por algo visto na televisão são raros, apesar de resultarem em grande publicização.

Esse diagnóstico não é confortável para os proprietários dos meios de comunicação de massa. A indústria da mídia tem óbvio interesse em deslegitimar a pesquisa sobre aculturação, pois esta revela estimativas de violência televisionada que estão bastante além do que os donos dos meios de comunicação gostariam de admitir.

Notas

CAPÍTULO 1

1 Ver Sanchez-Bravo (1981).
2 Não são poucos os autores que se opõem a essa visão da informação e colocam em evidência a parte de subjetividade inerente a qualquer informação. Bernard Voyenne qualifica as notícias como o produto de um juízo. Para esse pensador francês, a objetividade é "um ato de inteligência" por meio do qual se constrói no mundo exterior algo que mantém existência distinta da nossa. Jacques Kayser mostra que o narrador não é um robô e que sua sensibilidade afeta sua produção, suas escolhas temáticas, seu léxico etc.
3 Acolhemos a definição de mentira como um "discurso onde deliberadamente a representação da realidade não coincide com a realidade" (Durandin, 1993).
4 Propondo a verdade como um tipo de enunciado, não queremos entrar na discussão da existência de uma verdade transcendente e, portanto, independente de qualquer manifestação de subjetividade.
5 "Quanto mais se fala da objetividade com um mínimo de rigor, mais claramente se chega à conclusão de que, ou bem ela não existe, ou bem se trata do mais subjetivo dos conceitos" (Ramirez, 1980, p. 115).
6 Essa disjunção entre o que "vemos" e o que "falamos" foi analisada por Deleuze (1977).
7 Heidegger (na seqüência do pensamento de Hamann, Herder e Humboldt) sustenta a impossibilidade de a linguagem abordar o real preexistente em função da supremacia lógica e cronológica do significado sobre a referência. Ou seja, não se trata de abordar algo já conhecido para nomeá-lo, e sim nomeá-lo para que possa existir. A linguagem é causa da existência e não sua representação.
8 Nosso entrevistado em 7/5/1995.
9 "Converter um fato em notícia é basicamente uma operação lingüística. Só os procedimentos de linguagem permitem isolar e comunicar um fato" (Gomis, 1974, p. 24).
10 "Sempre se há de escrever cada parágrafo como se fosse o último" (*El País*, 1990, p. 31).
11 T. Wolfe, *El nuevo periodismo*, p. 21.

CAPÍTULO 2

1 Para aprofundar a análise, ler a coletânea organizada por Kenner (1968) e Pereira (2004).
2 Sobre esta questão, ler Navas (1988).
3 Este caso foi relatado por Day (1991).
4 Respectivamente, em *Les formes elémentaires de la vie réligieuse; L'ethique protestante et l'esprit du capitalisme* e *Trattato de sociologia generale.*
5 Publicidade publicada no jornal *El País* (5/3/1995).
6 Como veremos com mais detalhe no capítulo seguinte, a teoria da "dissonância cognitiva" desenvolvida por Leon Festinger sustenta que uma maneira de evitar o desconforto psicológico decorrente de um processo de dissonância é buscar no real elementos ou posições que robusteçam pontos de vista ou decisões tomadas anteriormente.
7 Estes dois conceitos foram desenvolvidos por Deleuze (1987).
8 Foram estudados o *New York Times*, as revistas *Time* e *Newsweek* e jornais televisivos noturnos.
9 Thorton e Roberto (1991).

CAPÍTULO 3

1 A rigor, na luta acadêmico-científica para marcar a fronteira entre o inato e o adquirido (socialmente construído), estamos longe de poder precisar a parte genética (cromossomicamente construída) no comportamento social do indivíduo, o que é fruto de anomalias psicológicas (não é rara a classificação dos seres humanos em neuróticos e psicóticos), o que é aprendido socialmente etc.
2 Dois depoimentos complementares demonstram a pertinência da afirmação no que se refere à conduta ética esperada do jornalista: de um lado, o de Heródoto Barbeiro (nosso entrevistado em 04/05/01): "A questão fundamental é a boa fé que qualquer jornalista tem que ter. Questões técnicas, como falar ao microfone ou escrever para o rádio, podem muito bem ser aprendidas. No entanto, trabalhar sempre na busca da verdade factual, com responsabilidade, é a chave do bom profissional de comunicação" No mesmo sentido, o princípio postulado por Bernardo Ajzenberg (nosso entrevistado em 08/06/01): "Ou a pessoa tem ética ou não tem. E isso vale para qualquer profissão ou ofício. No caso do jornalista, ainda mais, por causa de suas responsabilidades públicas".
3 É evidente que nem toda concordância, constatada nos distintos universos profissionais, se deve ao *habitus*. A prática coletiva é também, em parte, determinada por estratégias e cálculos explícitos, orientações e projetos conscientemente definidos, palavras de ordem e decisões tomadas de forma orquestrada. Mas sobre essas ações a doutrina é fecunda.
4 Nos termos de Hume.
5 Nos termos de Hume.
6 As respostas dadas por jornalistas, no texto que transcrevemos a seguir sobre a preparação para uma entrevista, são reveladoras dessa dimensão nem sempre calculada da prática. "Perguntei diretamente aos repórteres se eles se preparam ou não para uma entrevista, e também se eles planejam exatamente o que irão perguntar. Recebi essencialmente as mesmas respostas em quatro países:

'Depende!'. A principal diferença ocorre em entrevistar pessoas sobre acontecimentos inusitados ('Tenho que planejar a entrevista enquanto vou ao local', disse um repórter britânico) e realizar entrevistas previamente planejadas ('Se for um entrevistado importante, como o primeiro-ministro, planejo muito, pois ninguém está mais capacitado para perceber a ignorância de um repórter do que ele', disse outro repórter britânico). Quanto ao tempo de fato que o jornalista gasta para se preparar, disse um repórter americano: 'Depende. Talvez alguns segundos, talvez de 30 a 45 minutos, talvez dez anos!'". (Cohen, 1987, p. 119)

7 Entrevista concedida à apresentadora Hebe Camargo no dia 08/09/01.

8 Capitalizado, o senso de oportunidade converte-se de fato social calculável e passível de reprodução em elemento de ação indivídual dependente apenas do talento e da percepção ("feeling") do jornalista. O depoimento de Mino Carta (nosso entrevistado em 7/12/01) é revelador: "Eu sempre estive no lugar certo, na hora certa pra fazer coisas que não existiam antes de mim. Mas sempre trabalhei em equipe, pois jornalismo é trabalho em equipe. Você também precisa de pessoas muito próximas, para trocar conhecimento. É desse convívio que nascem boas pautas, idéias interessantes e a tarefa se cumpre". Estar no lugar certo e na hora certa é atribuir-se o mérito de ocupar uma posição social cuja atividade é, em grande medida, reflexiva, determinada por outras posições e seus ocupantes.

9 Nosso entrevistado em 25/07/01.

10 "O pauteiro é aquele que na imensidão dos acontecimentos capta o que pode ser transformado em reportagem". (Barbeiro e Lima, 2001, p. 59). Aqui o termo "captar", como o faro, também indica mais uma habilidade física do que uma ponderação refletida.

11 O relato abaixo inscreve a atividade profissional do jornalista num conjunto de procedimentos tipicamente rotineiros. "O repórter típico é um cidadão respeitável. Tanto em casa como no trabalho parece difícil diferenciá-lo de qualquer outro profissional. Cumpre a jornada de trabalho, em geral sob supervisão, volta para casa à noite, paga seus impostos, assina notas da lavanderia e do leiteiro e passeia com seus filhos aos domingos". (Warren, 1975, p. 13)

12 A redação, hábitat dos jornalistas, assume ares de repartição pública. "Com exceção da conversa dos redatores e alguma chamada telefônica ocasional, toda redação é um lugar particularmente sereno. Se alguém gritasse 'parem as máquinas' ou estaria brincando ou teria enlouquecido". (Warren, 1975, p. 13)

13 "A criatividade depende de algo que normalmente está `dentro' do próprio jornalista: a sensibilidade". (Paternostro, 1987, p. 51)

14 Jornalista, professor de jornalismo, coordenador do curso da Universidade Santa Cecília (Santos) e Membro da comissão do provão de Jornalismo do MEC, nosso entrevistado em 31/01/02.

CAPÍTULO 4

1 Sobre a dificuldade empírica em definir "audiências, ver Ang (1989).

2 Wolton (2005) enfatiza menos a relação produtor–receptor e mais a importância da comunicação interpessoal interna à audiência.

3 "Estes se fariam presentes numa estrutura preexistente de relações sociais e num contexto social e cultural particular. Estes fatores sociais e culturais tenderiam a ter primazia na formação das opiniões, atitudes e comportamento, e também na formação da escolha, atenção e resposta à mídia por parte da audiência" (McQuail, 1994).

4 O produto mediático entra na parte superior do filtro. O resíduo filtrado é a reconstrução desse produto subjetivamente marcada. Esse resíduo servirá de base para todas as comunicações interpessoais que se seguirem. Como em qualquer filtro, o resíduo que passa às camadas inferiores é conseqüência direta do trabalho de filtragem (seleção) operado pelas camadas superiores.

5 "A exposição é sempre seletiva, pois há uma relação positiva existe entre as opiniões das pessoas e o que elas escolhem para ouvir ou ler" (Lazarsfield *et al.*, 1948, p. 166).

6 Ver, por exemplo, Hyman e Sheatsley (1947).

7 Para uma apreciação heterodoxa e inovadora acerca do papel social da televisão, ver Wolton (1990).

8 Para um balanço heterogêneo das pesquisas sobre os efeitos sociais da televisão, ver a segunda parte de Wolton (1997).

CAPÍTULO 5

1 O uso do termo em inglês deve-se à dificuldade de tradução ("fixação" ou "determinação da agenda" não satisfazem) e à sua aceitação universal.

2 Para Atwater et. al (1985), no entanto, as comunicações interpessoais representam fontes de orientação contrárias à agenda mediática, redutoras, portanto, da influência dos meios de comunicação.

3 Sobre essa disparidade entre o crime reportado e o crime realizado, ver também Gordon e Heath (1981) e Hamilton (1988).

4 Para uma explicação inovadora a respeito da diminuição nos crimes norte-americanos, ver Levitt e Dubner (2005).

5 Ambas assertivas foram testadas empiricamente, com sucesso, por Weaver (1977).

6 Publicado em Shaw e McCombs (1977).

7 Pesquisa apresentada por McCombs no congresso da International Communication Association (Acapulco) e que deu origem a McCombs (1981).

8 Muito interessante é o estudo de Caspi (1982), que observa a influência da mídia não na fixação da agenda pública, mas sim da agenda de perguntas feitas por deputados israelenses no Knesset aos ministros convocados pelo parlamento. Também a respeito da influência da mídia na política, mais especificamente sobre a importância do noticiário na feitura do State of the Union Address (discurso anual do presidente norte-americano), ver Gilbert *et al.* (1980). Para o inverso – ou seja, o efeito da política partidária na agenda da mídia –, ver Semetko *et al.* (1991).

9 Entre os poucos estudos que tratam de *agenda setting* em relação a assuntos da economia, destacamos os de Carroll e McCombs (2003) e o de Callison (2003).

10 Quanto à origem, remetemos o leitor ao trabalho de Barros Filho (2002), o qual trata da questão do *habitus* jornalístico, ou seja, disposições interiorizadas pelos agentes do campo jornalístico que determinam o que é e não é noticiado – a origem da mensagem, portanto.

11 Lutz *et al.* (1980) notam que, inversamente, certos indivíduos com experiência direta em relação a um determinado assunto buscam, na mídia, mais informações sobre ele, procurando verificar a verdadeira importância social do assunto.

12 Para uma visão crítica acerca desse conceito, ver Wlezien (2005).
13 Estudo de McCombs e Zhu (1995) atesta que a agenda pública é cada vez mais volátil, com mais temas concorrendo pelo mesmo espaço nos meios de comunicação.
14 Outros trabalhos que comprovam a influência dos meios de comunicação em dizer ao público o que pensar sobre determinados temas são os de McCombs *et al.* (2000), Golan e Wanta (2001), López-Escobar *et al.* (1996), Takeshita e Mikami (1995) e Kepplinger *et al.* (1989).
15 Ver Noelle-Neumann (1993).
16 Para uma análise crítica dessa obra, ver Benson e Neveu (2005).

CAPÍTULO 6

1 Noelle-Neumann (1993) observa, no entanto, que um grupo político minoritário porém radical pode contrariar a hipótese da espiral do silêncio à medida que seu engajamento superar as barreiras psicológicas de expressar uma opinião que não coaduna com a da maioria da população. Porém, não são poucos os sinais de que a militância política está hoje decadente nas principais democracias (Dalton e Wattenberg, 2000).
2 Moreno-Riaño (2002), em experimento laboratorial, não encontra sustentação empírica para a suposição teórica de que o clima de opinião corrente afeta a percepção do indivíduo sobre o clima de opinião futuro sobre certo tema.
3 Outro trabalho que analisa a formação de uma opinião majoritária sobre determinado assunto é o de Huckfeldt e Sprague (1989).
4 Importante apontar que esta variável já havia sido largamente utilizada por Noelle-Neumann (1993) e diversos outros estudiosos, como Shoemaker *et al.* (2000).
5 Exemplos de estudos que não secundam a hipótese da espiral do silêncio são os de Glynn e McLeod (1984), Katz e Baldassare (1992) e Shamir (1995).
6 É forçoso reconhecer que um produto mediático assumidamente ficcional (como um filme exibido no cinema) também tem (com maior ou menor intensidade) referentes na realidade conhecida pelo receptor. Produz também, como vimos, um efeito real. Em alguns casos impõe sua temática na agenda do público, impondo sobre ela esta ou aquela opinião; e, num prazo mais longo, o conjunto de sua produção pode construir um universo simbólico de referenciais (aculturação). No entanto, ainda que essa coincidência aparente de efeitos exista, o produto dito "informativo", graças à sua objetividade aparente, gera expectativas distintas; portanto, resulta em efeitos também distintos.
7 Um estudo que minimiza a importância da mídia na formação da opinião de um indivíduo – portanto, diminui a influência dos meios de comunicação de massa na construção de uma possível espiral do silêncio – é o de Gonzenbach e Stevenson (1994).
8 A fecundidade científica da hipótese da "espiral do silêncio" é evidenciada pelo fato de que ela não se limita à aplicação relacionada à imposição das opiniões sobre temas pelos meios de comunicação de massa, podendo também ser aplicada à teoria de administração de empresas – como fazem, por exemplo, os trabalhos de Perlow e Williams (2003), Xu Huang *et al.* (2005), Ward e Winstanley (2005) e Bowen e Blackmon (2003).
9 A hipótese da "espiral do silêncio" foi testada por Jeffres *et al.* (1999) em um caso

de grande polêmica racial: o julgamento do ex-astro de futebol americano O. J. Simpson, acusado de assassinar a mulher. Mas a hipótese não foi confirmada.

10 Tese apresentada no Institut Français de Presse (Paris) em fevereiro de 1995.

11 No terceiro ato que integra a primeira parte de sua peça *Henry IV*, Shakespeare descreve um diálogo entre o rei Henry IV e seu filho, o futuro Henry V. O rei critica o filho por este ser sempre visto em má companhia. Deveria, segundo sua alteza, ter mais respeito pela opinião alheia. Henry IV ainda afirma que a opinião do público o alçou ao trono.

12 Sobre esse e outros aspectos da obra de Rousseau, ver Pompeu (2006).

13 No Brasil, um exemplo interessante de descompasso entre a opinião pessoal e a percepção da opinião pública foi detectado pela pesquisa já citada de Andrea Margit sobre o *impeachment* do presidente Collor. 95,6% dos entrevistados declararam que nunca mais votariam em Collor em nenhum tipo de eleição. No entanto, entre esses, 61,2% acreditavam que o ex-presidente se reelegeria caso se candidatasse.

14 Estudos como os de Le Heron e Sligo (2005) e Holbrook (2002) provam esse ponto claramente.

15 Grande controvérsia que circunda a hipótese do *knowledge gap* é a possibilidade de homens serem mais bem-informados sobre política do que as mulheres. O estudo de Mondak e Anderson (2004) refuta essa possibilidade, enquanto o influente trabalho de Gaxie (1978) a confirma.

16 Um bom exemplo da influência do tema no *knowledge gap* é fornecido pelo estudo de Shingi e Mody (1976).

17 O artigo de Brinton e McKown (1960) constata a diferença de conhecimento entre assinantes de jornal e não-assinantes sobre a fluoração das águas públicas potáveis.

18 Sobre a motivação do receptor pelo tema como fator condicionante do *knowledge gap*, ler o artigo de Ettema e Kline (1977).

19 Assim sustentam Viswanath *et al.* (1993). Para os autores, a funcionalidade da informação, a motivação e o nível de educação agem de forma combinada na construção do intervalo de conhecimento.

20 Galloway (1977) discute em que circunstâncias o intervalo de conhecimento aumenta ou diminui diante de uma descarga informativa galopante e dos mecanismos de difusão da informação.

21 Sobre o *knowledge gap* em sala de aula e o uso do material escolar, ler Barros Filho (1996).

22 A aculturação supõe, ainda, que atenção maciça à televisão resulta em uma internalização lenta, estável e cumulativa dessas mensagens, especialmente as que contêm componentes ideológicos.

Bibliografia

ACCARDO, A. *Initiation à la sociologie de l'illusionisme social.* Bordeaux: Le Mascaret, 1983.

AL-DEEN, H. "Comparative analysis of newspaper headlines: case study from the Gulf War", *International Communication Bulletin*, University of Alabama, 1992, v. 29, n. 1-2, p. 15-19.

ALLPORT, G. "The historical background of modern social psychology". In: LINDZEY, G. (org.) *Handbook of social psychology*. Reading: Addison-Wesley, 1954.

ALLPORT, F. "Toward a science of public opinion", *Public Opinion Quarterly*, 1937, v. 1, n. 1, p. 7-23.

ANDERSON, P.; LORCH, M. "Active and passive process in children's television viewing". Artigo apresentado na reunião anual da *American Psychological Association*, Nova York, 1979.

ANG, I. "Wanted: audiences. On the politics of empirical audience". In: SEITER, Ellen *et al.* (orgs.). *Remote control: television, audiences and cultural power*. Londres: Routledge, 1989.

ASCH, S. "Effects of Group pressure upon the modification and distortion of judgments". In: GUETZKOW, H. (org.) *Groups, Leadership, and Men*. Pittsburgh: Carnegie Press, 1951.

ASP, P. "Mass media as molders of opinion and suppliers of information". In: WILHOIT, C.; WHITNEY, C. (eds.). *Mass communication review yearbook*, v. 2. Beverly Hills: Sage, 1981.

ASTROFF, P.; NYBERG, M. "Discursive hierarchies and the construction of crisis in the news: a case study", *Discourse and Society*, Sage, Londres, v. 3, n. 1, 1992, p. 5-23.

ATWATER, T.; SALWEN, M.; ANDERSON, R. "Interpersonal discussion as a potential barrier to agenda-setting", *Newspaper Research Journal*, v. 6, n. 4, 1985, p. 37-43.

AUMONT, J. *La imagen*. Barcelona: Paidós Ibérica, 1990.

BARBEIRO, H.; LIMA, P. R. *Manual de radiojornalismo*. Rio de Janeiro: Campus, 2001.

BARRAT, J. *Géographie économique des médias*. Paris: Litec, 1992.

BARREIRA, C. "El ejército como medio de represión de la información em la España de Franco", *Comunicación y Sociedad*, v. VI, n. 1-2, 1993, p. 107-114.

BARROS FILHO, C. de. "Agenda setting e educação", *Comunicação & Educação*, ECA-USP/Moderna, 1996, n. 5.

______. "Reflexo de pauta: ética e *habitus* na produção da notícia", *Contracampo*, n. 7, 2002, p. 157-183.

BARTLETT, T. *Remembering: a study in experimental and social psychology*. Londres: Cambridge University Press, 1932.

BARWISE, R.; EHRENBERG, F.; GOODHARDT, P. "Glued to the box?: patterns of TV repeat-viewing", *Journal of Communication*, n. 32, 1982, p. 22-29.

BAUDRILLARD, J. *La société de consommation*. Paris: Denöel, 1970.

BAZIN, A. "Langage de notre temps". In: CHEVALLIER, J. (org.) *Regards neufs sur le cinéma*. Paris: Seuil, 1953.

______. "Onthologie de l'image photographique". In: *Qu'est-ce que le cinéma?* Paris: Cerf, 1975.

BECHTEL, P.; ACHEPOHL, B.; AKERS, F. "Correlates between observed behavior and questionnaire responses on television viewing". In: RUBINSTEIN, E. A.; COMSTOCK, G. A.; MURRAY, J. P. (orgs.). *Television in day-to-day life: patterns of use*. Washington: Government Printing Office, 1972, p. 274-344.

BECKER, L.; MCCOMBS, M. "The role of the press in determining voter reactions to presidential primaries", *Human Communication Research*, v. 4, 1978, p. 301-307.

BELSON, W. A. *The impact of television*. Londres: Crosby Lockwood, 1967.

BENITO, A. *Lecciones de teoria general de Ia información*. Madri: Garcia Blanco, 1972.

BENNETT, W. L. *News: the politics of illusion*. Nova York: Longman, 1988.

BENSON, R.; NEVEU, E. (orgs.). *Bourdieu and the journalistic field*. Cambridge: Polity Press, 2005.

BENTON, M.; FRAZIER, J. "The agenda setting function of the mass media at three levels of information holding", *Communication Research*, v. 3, n. 3, 1976, p. 261-274.

BERELSON, P. "The state of communication research", *Public Opinion Quarterly*, n. 23, 1959, p. 1-6.

BERELSON, B.; STEINER, G. *Human behavior: an inventory of scientific findings. 1964.* Nova York: Harcourt, Blace and World, 1964.

BERGER, P.; LUCKMANN, T. *La construcción social de la realidad.* Buenos Aires: Amorrortu, 1979.

BERTALANFFY, L. *Perspectives on general system theory.* Nova York: Georges Braziller, 1975.

BEUVE-MERY, H. "Objectivité et rélativité de l'information", *L'information*, número monográfico da revista *Economie et Humanisme*, 192, 1970.

BIANCHI, J.; BOURGEOIS, H. *Les medias côté public – Le jeu de la recéption.* Paris: Centurion, 1992.

BIOCA, F. A. "Opposing conception of the audience: the active and passive hemisphere of mass communication theory", *Communication Yearbook*, n. 11, 1988, p. 51-80.

BLUMER, H. "Public opinion and public opinion polling", *American Sociological Review*, v. 13, 1948, p. 542-547.

BÖECKELMANN, F. *Formación y funciones sociales de la opinión pública.* Barcelona: Gustavo Gilli, 1983.

BOUDON, R. *L'art de se persuader des idées douteuses, fragiles ou fausses.* Paris: Fayard, 1990.

BOURDIEU, P. *Ce que parler veut dire.* Paris: Fayard, 1982.

______. *Choses dites.* Paris: Minuit, 1987.

______. "La production de la croyance: contribution à une économie des biens symboliques", *Actes de la Recherche en Sciences Sociales*, n. 3, Paris: 1977.

______. "L'emprise du journalisme", *Actes de la Recherche en Sciences Sociales*, n. 101-102, Paris: 1994.

______. *Le sens pratique.* Paris: Minuit, 1980.

______. *Questions de sociologie.* Paris: Minuit, 1984.

______. *Sur la télévision.* Paris: Liber, 1996.

BOWEN, F.; BLACKMON, K. "Spirals of silence: the dynamic effects of diversity on organizational voice", *Journal of Management Studies*, v. 40, n. 6, 2003, p. 1393-1417.

BRAJNOVIC, L. *El ámbito científico de Ia información*. Pamplona: Eunsa, 1979.

BRANDSFORD, N.; MCCARREL, M.; SKETCH, P. "Cognitive approach to comprehension: some thoughts about understanding what it means to comprehend". In: WEINER, W.; PALERMO, D. (orgs.). *Cognitive and the symbolic processes*. Nova Jersey: Lawrence Erlbaum, 1974.

BRINTON, J.; MCKOWN, L. N. "Effects of newspaper reading on knowledge and attitude", *Journalism Quarterly*, v. 38, 1960.

BROCK, T.; BALLOUN, P. "Behavioral receptivity to dissonant information", *Journal of Personality and Social Psychology*, v. 62, 1961.

BROSIUS, H. B.; KEPPLINGER, H. M. "The agenda setting function of television news", *Communication Research*, n. 17, 1990, p. 183-211.

BRYANT, L.; STREET, S. "From reactivity to activity in action: an evolving concept and Weltanschauung in mass and interpersonal communication". In: HAWKINS, R. P.; WIEMANN, J. M.; PINGREE, S. (orgs.). *Advancing communication science: merging mass and interpersonal processes*. Nova York: Sage: 1988.

BUREAU, P.; NAMIAN, F. *Dictionnaire de l'informatique*, Paris: Larousse, 1972.

CALLISON, C. "Media relations and the internet: how Fortune 500 company websites assist journalists in news gathering", *Public Relations Review*, v. 29, 2003, p. 29-41.

CANNON, L. "Self-confidence and selective exposure to information". In: FESTINGER, L. (org.). *Conflict, decision and dissonance*. Stanford: Stanford University Press, 1964, p. 83-95.

CARROLL, C.; MCCOMBS, M. "Agenda-setting effects of business news on the public's images and opinions about major corporations", *Corporate Reputation Review*, v. 6, 2003, p. 36-46.

CASPI, D. "The agenda-setting function of the Israeli press", *Knowledge: Creation, Diffusion, Utilization*, v. 3, 1982, p. 401-414.

CHAMPAGNE, P. *Initiation à la pratique sociologique*. Paris: Bordas, 1989.

CHANEY, J. *Level with us, just how sacred is your source*. Nova York: The Quil, 1979.

CHILDS, H. *Public opinion: nature, formation and role*. Princeton: D. van Nostrand, 1965.

CHOZA, J. *Manual de antropología filosófica*. Madri: Eadi, 1988.

CLARKE, M.; KLINE, K. "Media effects reconsidered: some new strategies for communication research", *Communication Research*, v. 1, 1974, p. 224-240.

CLAUSSE, R. *Les nouvelles – Synthese critique*. Bruxelas: Institut de Sociologie de l'Université, 1963.

COHEN, A. *The television news interview*. Nova Délhi: Sage, 1987.

COHEN, B. *The press and foreign policy*. Princeton: Princeton University Press, 1963.

COHN, G. *Sociologia da comunicação*. São Paulo: Pioneira, 1973.

COSTA, C. T. *O relógio de Pascal*. São Paulo: Siciliano, 1991.

CULBERSTONE, H. M. "Veiled attribution: an element of style", *Journalism Quarterly*, 1978, p. 456-465.

CZITROM, D. "La metahistória, la mitología y los medios de comunicación: el pensamiento de Harold Innis y Marshall McLuhan". In: *De Morse a McLuhan: los medios de comunicación*. México: Publigraphics, 1985.

DALTON, R.; WATTENBERG, M. (orgs.). *Parties without partisans: political change in advanced industrial democracies*. Oxford: Oxford University Press, 2000.

DANIELIAN, P.; REESE, W. "A closer look at intermedia influences on agenda setting: the cocaine issue of 1986". In: SHOEMAKER, P. (org.). *Communication campaigns about drugs: government, media and the public*. Hillsdale: Lawrence Erlbaum, 1988.

DAVISON, K. "On the effects of mass communication", *Public Opinion Quarterly*, v. 23, 1959, p. 343-360.

DAVISON, W. P. "The third person effect in communication", *Public Opinion Quarterly*, v. 47, 1983, p. 1-15.

DAY, L. A. *Ethics in media communication: cases and controversies*. Nova York: Wadsworth Publishing Company, 1991.

DELEUZE, G. *Différence et répétition*. Paris: PUF, 1968.

______. *Foucault*. Paris: Minuit, 1977.

______. *La imagen-tiempo*. Barcelona: Paidós Ibérica, 1987.

DERIEUX, E. *Cuestiones ético-políticas de Ia información*. Pamplona: Eunsa, 1983.

DESANTES GUANTER, J. M. *La verdad en la información*. VALLADOLID: Servicio de Publicaciones Exma. Diputación, 1976.

DESANTES GUANTER, J. M.; SORIA, C. *Los límites de la información*. Madri: Asociación de Prensa, 1991.

DOOB, A.; MACDONALD, G. "Television viewing and fear of victimization: is the relationship causal?", *Journal of Personality and Social Psychology*, v. 37, n. 2, 1979, p. 170-179.

DONOHEW, M.; NAIR, P.; FINN, F. "Automacity arousal and information exposure". In: BOSTROM, R. N. (org.). *Communication yearbook v. 8*. Beverly Hills: Sage, 1980, p. 267-284.

DOVIFAT, E. *Periodismo*. México: Uteha, 1964.

DURANDIN, G. *L'information, Ia désinformation et la réalité*. Paris: PUF, 1993.

ELLUL, J. *Media development*. World Association for Christian Communication, Londres, v. 2, n. 16, 1988.

EL PAÍS. *Libro de estilo*. Madri: El País, 1990.

ERFLE, S.; MCMILLAN, H. "Determinants of network news coverage of the oil industry during the late 70's", *Journalism Quarterly*, v. 66, n. 1, 1989, p. 121-128.

ESCARPIT, R. *Escritura y comunicación*. Madri: Castalia, 1975.

ETTEMA, J.; KLINE, F. G. "Deficits, differences and ceiling – Contingent conditions for understanding the knowledge gap", *Communication Research*, v. 4, n. 2, 1977.

FANG, I. *Notícias por televisión*. Buenos Aires: Marymar, 1977.

FEATHER, P. "Cigarette smoking and lung cancer: a study of cognitive dissonance", *Australian Journal of Psychology*, v. 14, 1962, p. 55-64.

FESTINGER, L. *A theory of cognitive dissonance*. Evanston: Row Peterson, 1957.

FESTINGER, L.; CARLSMITH, J. M. "Cognitive consequences of forced compliance", *Journal of Abnormal and Social Psychology*, v. 58, 1959, p. 203-210.

FIELDS, J. M.; SCHUMAN, H. "Public beliefs about the beliefs of the public", *Public Opinion Quarterly*, v. 40, 1976, p. 427-448.

FORD, E. "The art and craft of the literary journalist". In: MOTT, G. F. (org.). *New survey on journalism*. Nova York: Barnes & Noble, 1958.

FREEDMAN, J. L.; SEARS, D. "Voters' preferences among types of information", *American Psychology*, n. 18, 1963.

GÁLDON LOPEZ, G. *Desinformación: método, aspectos y soluciones*. Pamplona: Eunsa, 1994.

GALLOWAY, J. J. "The analysis and significance of communication effects gaps", *Communication Research*, v. 4, n. 4, 1977.

GARNER, W. R. *Uncertainty and structure as psychological concepts.* Nova York: Weiley, 1962.

GAUTHIER, A. *L'impact de l'image.* Paris: Harmattan, 1993.

GAZIANO, C. "The knowledge gap: an analytical review of media effects", *Communication Research*, v. 10, n. 4, 1983, p. 447-486.

GENSCH, M.; SHAMAN, P. "Models of competitive ratings", *Journal of Marketing Research*, n. 17, 1980, p. 307-315.

GERBNER, G.; GROSS, L. "Living with television: the Violence Profile", *Journal of Communication*, v. 26, n. 2, 1976, p. 173-199.

GHANEM, S. *Media coverage of crime and public opinion: an exploration of the second level of agenda setting.* Dissertação de doutorado não publicada, University of Texas at Austin, 1996.

GHIGLIONE, R. *La communicazione è um contratto.* Napoli: Ligouri, 1988.

GILBERT, S. *et al.* "The State of the Union address and the press agenda", *Journalism Quarterly*, v. 57, 1980, p. 584-588.

GLASSER, T. "Objectivity precludes responsibility". In: HIEBERT, R. E.; REUSS, C. (orgs.). *Impact of mass media.* Nova York: Longman, 1988, p. 44-51.

GLYNN, C. J. "Perceptions of others' opinion as a component of public opinion", *Social Science Research*, 1989, v. 18, p. 53-69.

GLYNN, C. J.; MCLEOD, J. M. "Implications of the spiral of silence theory for communication and public opinion research". In: SANDERS, D. R.; KAID, L. L.; NIMMO, D. (orgs.). *Political communication yearbook 1984.* Carbondale: Southern Illinois University Press, 1984.

GOLAN, G.; WANTA, W. "Second-level agenda-setting in the New Hampshire Primary: a comparison of coverage in three newspapers and public perceptions of candidates", *Journalism & Mass Communication Quarterly*, v. 78, 2001, p. 247-259.

GOMBRICH, E. "La découverte du visuel par le moyen de l'art". In: *L'écologie des images.* Paris: Flammarion, 1983.

GOMIS, L. *El medio media: la función política de la prensa.* Madri: Eunsa, 1974.

GONZENBACH, W. J.; STEVENSON, R. L. "Children with AIDS attending public school: an analysis of the spiral of silence", *Political Communication*, v. 11, 1994.

GORDON, M. T.; HEATH, L. "The news business, crime and fear". In: LEWIS, D. (org.). *Reactions to crime.* Beverly Hills: Sage, 1981.

GRABER, G. "Seeing is remembering: how visuals contribute to learning from television news", *Journal of Communication*, v. 40, n. 3, 1990, p. 134-155.

GRANGER, G. *Essai d'une philosophie du style*. Paris: Armand Colin, 1968.

GUATTARI, F. *Las tres ecologias*. Valência: Pre-Textos, 1990.

GUNTER, P. *Dimensions of television violence*. Aldershot: Gower, 1985.

______. "Do aggressive people prefer violent television", *Bulletin of the British Psychological Society*, n. 36, 1983, p. 166-168.

______. *Historia y critica de la opinión publica*. Barcelona: Gustavo Gilli, 1981.

______. *Raison et legitimité*. Paris: Fayard, 1978.

______. *Strukturwandel der Öffentlichkeit: Untersuchungen zu einer Kategorie der bürgerlichen Gesellschaft*. Neuwied: Hermann Luchterhand, 1962.

HABERMAS, J. *Morale et communication – Conscience morale et activité communicationnelle*. Paris: Cerf, 1983.

HAMILTON, J. T. *Channeling violence*. Princeton: Princeton University Press, 1988.

HEBB, P. *Introdução à psicologia*. Rio de Janeiro: Atheneu, 1971.

HEGEL, F. W. *Introduction à l'esthétique*, Paris: Aubier, 1964.

HERMÁNUS, P. "La objetividad en Ia comunicación de masas", *Medios de Información Masiva en el Mundo – EI Periodista Demócrata*, n. 1, Madri: 1979.

HILLS, J. *Los informadores en radiotelevisión*. Madri: Instituto Oficial de Radio y Televisión, 1987.

HOLBROOK, T. M. "Presidential campaigns and the knowledge gap", *Political Communication*, v. 19, n. 4, 2002.

HUANG, H. "A cross-cultural test of the spiral of silence", *International Journal of Public Opinion Research*, 2005, forthcoming.

HUCKFELDT, R. R.; SPRAGUE, J. "Choice, social structure, and political information: the informational coercion of minorities", *American Journal of Political Science*, v. 32, 1989.

HUMBOLDT, L. *Schrifen zur Sprachphilosophie*. Darmstadt: A. Flitner/ K. Giel, 1979.

HUME, D. *A treatise of human nature*. Oxford: Clarendon Press, 1896.

HYMAN, H.; SHEATSLEY, P. "Some reasons why information campaigns fail", *Public Opinion Quarterly*, v. 11, 1947, p. 413-423

IYENGAR, S. "News directions of agenda setting research", *Communication Yearbook*, n. 11, 1988, p. 595-602.

JECKER, M. "Selective exposure to new information". In: FESTINGER, L. (org.). *Conflict, decision and dissonance*. Stanford: Stanford University Press, 1964, p. 65-81.

JEFFRES, L. W.; NEUENDORF, K. A.; ATKIN, D. "Spirals of silence: expressing opinions when the climate of opinion is unambiguous", *Political Communication*, v. 16, n. 2, 1999.

JENSEN, W. "The new journalism in historical perspective", *Journalism History*, v. 2, n. 1, 1974.

JENSEN, L. "When is meaning? Communication theory, pragmatism, and mass media reception", *Communication Yearbook*, n. 14, 1991, p. 3-32.

KAPFERER, J. N. *Les chemins de la persuasion*. Paris: Gauthier-Villars, 1978.

KATZ, C.; BALDASSARE, M. "Using the L-word in public: a test of the spiral of silence in conservative Orange County, California", *Public Opinion Quarterly*, v. 56, 1992.

KATZ, E. "Mass communication research and the study of popular culture: an editorial note on a possible future for this journal", *Studies in Public Communication*, n. 2, 1959, p. 1-6.

______. "On reopening the question of selectivity in exposure to mass communication". In: ABELSON, R. *et al.* (eds.). *Theories of cognitive consistency – A sourcebook*. Chicago: Rand McNally, 1968, p. 788-796.

______. "The two step flow of communication: an up-to-date report of an hypothesis", *Public Opinion Quarterly*, n. 21, 1957.

KENNER, H. (ed.) *McLuhan: pro & con*. Nova York: Funk & Wagnalis, 1968.

KEPPLINGER, H. M. *et al.* "Media tone and public opinion: a longitudinal study of media coverage and public opinion on Chancellor Kohl", *International Journal of Public Opinion Research*, v. 1, 1989, p. 326-342.

KLAPPER, J. *The effects of mass communication*. Nova York: Free Press, 1960.

KRECH, D.; CRUTCHFIELD, R.; BALLACHEY, E. *Individual in society: a textbook of social psychology*. Nova York: McGraw-Hill, 1962.

LAMIZET, B. *Les lieux de la communication*. Liège: Mardaga, 1992.

LANG, G.; LANG, K. "Mass communication and public opinion: strategies for research". In: ROSENBERG, M.; TURNER, R. (orgs.). *Social psychology: sociological perspectives*. Nova York: Basic Books, 1981a.

______. "The mass media and voting". In: BERELSON, B.; JANOWITZ, M. (orgs.). *Reader in public opinion and communication*. Nova York: The Free Press, 1966, p. 455-472.

______. "Watergate: an exploration of the agenda-building process", *Mass Communication Review Yearbook*, v. 2, 1981b.

LAZARSFELD, B.; BERELSON, B.; GAUDET, H. *The people's choice*. Nova York: Columbia University Press, 1948.

LARSEN, P. "Text processing and knowledge updating in memory for radio news", *Discourse Processes*, n. 6, 1983, p. 21-38.

LASORSA, P.; WANTA, W. "The effects of personal, interpersonal, and media experience on issue salience". Artigo apresentado no encontro anual da *International Communication Association* em San Francisco, 1988.

LE HERON, J.; SLIGO, F. "Acquisition of simple and complex knowledge; a knowledge gap perspective", *Educational Technology & Society*, v. 8, n. 2, 2005, p. 190-202.

LECAROS, M. J. *Ética periodística*. Santiago: PUC, 1989.

LEMAIRE, P. M. *Communication et culture*. Quebec: Les Presses de L'Université du Laval, 1989.

LEMERT, J. B. *Después de todo... ¿puede la comunicación masiva cambiar la opinión pública?* Cidade do México: Publigrafics, 1983.

LEVITT, S. D.; DUBNER, S. J. *Freakonomics: a rogue economist explains the hidden side of everything*. Nova York: HarperCollins, 2005.

LEVY, M.; WINDAHL, S. "The concept of audience activity". In: WENNER, L. A.; PALMGREEN, P. (orgs.). *Media gratifications research: current perspectives*. Newbury Park: Sage, 1985.

LÉVY-BRUHL, L. *La mentalité primitive*. Paris: PUF, 1960.

LIPPMANN, Walter. *Public Opinion*. Nova York: Free Press, 1922.

LIPSET, S. *et al*. "The psychology of voting: an analysis of political behavior". In: LINDZEY, G. (org.). *Handbook of social psychology*. Cambridge: Addison-Wesley, v. 2, 1954.

LITMAN, B. R. "The television networks, competition and program diversity", *Journal of Broadcasting*, v. 23, n. 4, 1979, p. 393-409.

LONG, N. "The local community as an ecology of games", *American Journal of Sociology*, n. 64, 1958, p. 252-261.

LÓPEZ PAN, F. *70 columnistas de la prensa española*. Pamplona: Eunsa, 1995.

LÓPEZ-ESCOBAR, E. "Información y libertad: de la libertad de la información a la información para la libertad", *Ciencias Humanas y Sociedad*, Madri, 1993, p. 603-615.

LÓPEZ-ESCOBAR, E.; LLAMAS, J. P.; MCCOMBS, Maxwell. "Una dimension social de los efectos de los medios de difusion: agenda-setting y consenso", *Comunicacion y Sociedad*, v. IX, 1996, p. 91-125.

LOWIN, G. "Approach and avoidance: alternative modes of selective exposure to information", *Journal of Personality and Social Psychology*, 1965, n. 6, p. 1-9.

LOZANO, P. *El ecosistema informativo*. Pamplona: Eunsa, 1974.

LUHMANN, N. "Öffentliche Meinung". In: *Politische Planung: Aufsätze zur Soziologie von Politik und Verwaltung*. Opladen: Westdeutscher Verlag, 1971.

______. *Soziologische Aufklãrung*. Opladen: Westdeutscher Verlag, 1975.

LUTZ, E.; GOLDENBERG, E.; MILLER, A. "Front-page news and real-world cues", *American Journal of Political Science*, v. 24, n. 1, 1980, p. 16-49.

MADISON, J.; HAMILTON, A.; Jay, J. *The federalist papers*. Middletown: Wesleyan University Press, 1788.

MARTINEZ-ALBERTOS, J. L. *El mensaje informativo*. Barcelona: Ate, 1977.

______. *La noticia y los comunicadores públicos*. Madri: Pirâmide, 1978.

MATABANE, P. "Television and the black audience: cultivating moderate perspectives on racial integration", *Journal of Communication*, v. 38, n. 34, 1988, p. 21-31.

MCCOMBS, M.; ZHU, J. "Capacity, diversity and volatility of the public agenda: trends from 1954 to 1994", *Public Opinion Quarterly*, v. 59, n. 4, 1995, p. 495-517.

MCCOMBS, M. *et al.* "Setting the agenda of attributes in the 1996 Spanish general election", *Journal of Communication*, v. 50, n. 2, 2000, p. 77-92.

______. *Setting the agenda: mass media and public opinion*. Cambridge: Polity Press, 2004.

______. "The agenda setting approach". In: NIMMO, D.; SANDERS, K. (orgs.). *Handbook of political communication*. Beverly Hills: Sage, 1981, p. 121-140.

______. "The agenda setting function of mass media", *Public Opinion Quarterly*, n. 36, 1972, p. 176-187.

McQuail, D. *Mass communication theory*. Londres: Sage, 1994.

______. *Media performance – Mass communication and the public interest*. Londres: Sage, 1992.

McQuail, D.; Windahl, F. *Communication models for the study of mass communication*. Londres: Prentice Hall,1993.

Merriam, J.; Makower, J. *Trend watching; how the media create trends and how to be the first to uncover them*. Nova York: Amacom/Tidden, 1988.

Metz, C. "A propos de l'impression de realité au cinema", *Cahiers du Cinema*, n. 167-168, 1965.

Miller, M.; Cannell, R. "Communicating measurements objectives in the survey interview". In: Hirsh, P.; Miller, P.; Kline, F. G. (orgs.). *Strategies for communication research*. Beverly Hills: Sage, 1977, p. 127-151.

Miller, H.; Puente, S. *Periodismo audiovisual*. Santiago: Gutemberg, 1989.

Mills, J.; Aronson, E.; Robinson, H. "Selectivity in exposure to information", *Journal of Abnormal and Social Psychology*, v. 59, 1959, p. 250-253.

Mondak, J. J.; Anderson, M. R. "The knowledge gap: a reexamination of gender-based differences in political knowledge", *Journal of Politics*, v. 66, n. 2, 2004, p. 492-512.

Moores, S. *Interpreting audiences – The ethnography of media consumption*. Londres: Sage, 1993.

Moreno-Riaño, G. "Experimental implications for the spiral of silence", *The Social Science Journal*, v. 39, 2002.

Morgan, M. "International cultivation analysis". In: Signorielli, N.; Morgan, M. (orgs.). *Cultivation analysis: new directions in media effects research*. Newbury Park: Sage, 1990.

Murphy, G.; Murphy, L.; Newcomb, T. *Experimental social psychology: an interpretation of research upon the socialization of the individual*. Nova York: Harper & Brother, 1937.

Navas, A. "La función integradora de los medios de comunicación en el pensamiento de Niklas Luhmann". In: López-Escobar, E.; Orihuela, P. (orgs.). *La responsabilidad pública del periodista*. Pamplona: Eunsa, 1988.

Neuwirth, K. "Testing the spiral of silence model: the case of Mexico", *International Journal of Public Opinion Research*, v. 12, n. 2, 2000.

NEWHAGEN, P.; REEVES, F. "The evening's bad news effects of compelling negative television images on memory", *Journal of Communication*, v. 42, n. 2, 1992, p. 25-41.

NIR, R.; ROCH, I. "Intifada coverage in the Israeli Press: popular and quality paper assume a rhetoric of conformity", *Discourse and Society*, Sage, Londres, v. 3, n. 1, 1992, p. 47-60.

NOELLE-NEUMANN, E. "The spiral of silence: a theory of public opinion", *Journal of Communication*, v. 24, 1974, p. 43-51.

______. *The spiral of silence: public opinion, our social skin*. Chicago: University of Chicago Press, 1993.

NORMAN, P. *Memory and attention*. Nova York: John Wiley, 1969.

NOVAK, M. "Television shapes the soul". In: GUMPERT, G.; CATHCART, R. (orgs.). *Inter/media: interpersonal communication in a media world*. Nova York: Oxford University Press, 1986.

NÚÑEZ LADEVÉSE, L. *Manual para periodismo*. Barcelona: Ariel, 1991.

______. *Teoria y práctica de la construcción del texto*. Barcelona: Ariel, 1993.

O'GORMAN, H. J. "Pluralistic ignorance and White estimates of white support for racial segregation", *Public Opinion Quarterly*, 1975, v. 39, p. 313-330.

ORIVE RIVA, P. *Estructura de Ia información periodistica*. Madri: Pirámide, 1977.

OUDART, J. P. "L'effet de réel", *Cahiers du Cinéma*, n. 228, 1971.

PALMGREEN, P.; CLARKE, O. "Agenda setting with local and national issues", *Communication Research*, v. 4, n. 4, 1977.

PARK, R. E. "News as a form of knowledge", *American Journal of Sociology*, v. 45, 1940, p. 667-686.

PATERNOSTRO, V. *O texto na TV: manual de telejornalismo*. São Paulo: Brasiliense, 1987.

PATTERSON, T. *The mass media election*. Nova York: Praeger, 1980.

PAVEL, T. *Univers de la fiction*. Paris: Seuil, 1988.

PEREIRA, V. A. "As tecnologias de comunicação como gramáticas: meio, conteúdo e mensagem na obra de Marshall McLuhan", *Contracampo*, v. 10/11, 2004.

PERELMAN, C. "À propos de l'objectivité de l'information". In: *Publics et techniques de la diffusin collective*. Bruxelas: Éditions de l'Institu de Sociologie, 1984.

PERLOW, L.; WILLIAMS, S. "Is silence killing your company?", *Harvard Business Review*, 2003, p. 3-8.

PIEPER, J. *Filosofía medieval y mundo moderno*. Madri: Rialp, 1973.

PINTO, L. "Le journalisme philosophique", *Actes de la Recherche em Sciences Sociales*, n. 101-102, 1994.

PIRENNE, M. *Optics, painting and photography*. Cambridge: Cambridge University Press, 1990.

POMPEU, J. C. "Jean-Jacques Rousseau, da angústia ao ostracismo". In: SANTOS, M. V. (org.). *Os pensadores, um curso*. Rio de Janeiro, Relume Dumará, 2006.

RAMIREZ, P. *Prensa y libertad*. Madri: Unión Editorial, 1980.

REAL, M. *Supermedia – A cultural study approach*. Londres: Sage, 1989.

RHINE, R. J. "The 1964 presidential election and curves of information seeking and avoiding", *Journal of Personality and Social Psychology*, 1967, v. 5, p. 416-423.

RIVADENEIRA PRADA, R. *Periodismo: la teoria general de los sistemas y la ciencia de la comunicación*. Cidade do México: Trillas, 1979.

ROSENBERG, L. "The conditions and consequences of evaluation apprehension". In: ROSENTHAL, R.; ROSNOW, R. (eds.) *Artifact in behavioral research*. Nova York: Academic Press, 1969, p. 280-345.

ROSENBERG, P.; HOVLAND, W. "Cognitive, affective and behavioral components of attitudes". In: ROSENBERG, M. *et al.* (orgs.). *Attitude organization and change: an analysis of consistency among attitude components*. New Haven: Yale University Press, 1960.

ROSENTHAL, R. "Interpersonal expectations: effects of the experimenter's hypothesis". In: ROSENTHAL, R.; ROSNOW, R. (orgs.). *Artifact in behavioral research*. Nova York: Academic Press, 1969, p. 182-277.

ROSITI, F. *Informazione e complessità sociale*. Bari: De Donato, 1978.

RUIZ, M. J.; LLERA, M. "La objetividad: ¿imposible? Digamos más bien indeseable", *Comunicación y Sociedad*, v. 6, n. 1-2, 1993.

SANCHEZ, J. F. "EI relato periodistico convencional". In: BARRERA, C.; JIMENO, M. A. (orgs.). *La información como relato*. Pamplona: Eunsa, 1991.

______. "Persuasión por sobre dosis de neutralidad. La libertad del lector de periódicos". In: *Información y persuasión, terce-*

ras jornadas de ciencias de la información. Pamplona: Eunsa, 1989.

SANCHEZ-BRAVO, A. *Tratado de estructura de la información*. Madri: Latina Universitária, 1981.

SAPERAS, E. *Los efectos cognitivos de la comunicación de masa*. Barcelona: Ariel, 1987.

SCHEUFELE, D. A.; MOY, P. "Twenty-five years of the spiral of silence: a conceptual review and empirical outlook", *International Journal of Public Opinion Research*, v. 12, n. 1, 2000.

SCHNEIDER, B.; LAURION, M. "Do we know what we've learned from listening to the news?", *Memory & Cognition*, n. 21, 1993, p. 198-209.

SCHRAMM, W. "The nature of news", *Journalism Quarterly*, n. 26, 1949, p. 259-269.

SEARS, D. "Selective exposure to information: a critical review", *Public Opinion Quarterly*, n. 31, 1967, p. 154-213.

______. "The paradox of the facto selective exposure without preference for supportive information". In: ABELSON, R. *et al.* (orgs.) *Theories of cognitive consistency – A sourcebook*. Chicago: Rand McNally, 1968, p. 777-787.

SEMETKO, H. *et al. The formation of campaign agendas: a comparative analysis of party and media roles in recent American and British elections*. Nova Jersey: Lawrence Erlbaum, 1991.

SHANAHAN, J.; MORGAN, M. *Television and its viewers: cultivation theory and research*. Cambridge: Cambridge University Press, 1999.

SHAW, D.; MCCOMBS, M. (eds.) *The emergence of American political issues: the agenda setting function of the press*. Minnessota: West, 1977.

SHINGI, P. M.; MODY, B. "The communication effects gap – A field experiment on television and agricultural ignorance in India", *Communication Research*, v. 3, n. 2, 1976.

SHOEMAKER, P. J.; BREEN, M.; STAMPER, M. "Fear of social isolation: testing an assumption from the spiral of silence", *Irish Communications Review*, v. 8, 2000.

STAUFFER, J.; FROST, R.; RYBOLT, W. "Recall and comprehension of radio news in Kenya", *Journalism Quarterly*, n. 57, 1980, p. 612-617.

STEFFENS, L. *The autobiography of Lincoln Steffens*. Nova York: Harcourt, 1931.

STEMPEL, F.; WINDHAUSER, P. "The prestige press revisited: coverage of the 1980 presidential campaign", *Journalism Quarterly*, v. 61, 1984, p. 49-55.

STEPHENSON, W. *The play theory of mass communication*. Chicago: University of Chicago Press, 1967.

SWAIN, M. *Ética periodística*. Buenos Aires: Tres Tiempos, 1983.

SZASZ, T. S. *Pain and pleasure*. Nova York: Basic Books, 1957.

TAKESHITA, T.; MIKAMI, S. "How did mass media influence the voters' choice in the 1993 general election in Japan?: a study of agenda setting", *Keio Communication Review*, v. 17, 1995, p. 27-41.

TAYLOR, D. G. "Pluralistic ignorance and the spiral of silence: a formal analysis", *Public Opinion Quarterly*, v. 46, 1982, p. 311-335.

TICHENOR, P.; DONOHUE, G.; OLIEN, C. "Mass media and the knowledge gap: a hypothesis reconsidered", *Communication Research*, v. 2, 1975, p. 3-23.

______. "Mass media flow and differential growth in knowledge", *Public Opinion Quarterly*, v. 34, 1970, p. 159-170.

THOMAS, W.; ZNANIECKI, F. *The Polish peasant in Europe and America*. Nova York: Alfred Knopf, 1927.

THORNTON, R. D.; ROBERTO, Z. E. "Programas de radio y televisión en la provincia de La Pampa (Argentina)", *Serie Comunicaciones*, n. 3, La Pampa, Inta, 1991.

TRAVANCAS, I. S. *O mundo dos jornalistas*. São Paulo: Summus, 1992.

TRENAMAN J. *Communication and comprehension: the report of an investigation, by statistical methods, of the effective communication of educative material and an assessment of the factors making for such communication, with special reference to broadcasting*. Londres: Longman, 1967.

URABAYEN, M. *Estrutura de la información periodística: concepto y método*. Pamplona: Eunsa, 1993.

VAN DIJK, T. *La noticia como discurso*. Buenos Aires: Paidós, 1988.

VILARNOVO, A. "Objetivo y subjetivo: hermenéutica de la ciência", *Anuario Filosófico*, n. 26, 1993, p. 717-727.

VILCHES, L. *La lectura de una imagem: prensa, cine, televisión*. Barcelona: Paidós, 1988.

VISWANATH, K. *et. al.* "Motivation and the knowledge gap - Effects of a campaign to reduce diet-related cancer risk", *Communication Research*, v. 20, n. 4, 1993.

WALKER, J. L. "A critic of the elitist theory of democracy", *American Political Science Review*, n. 60, 1966, p. 285-295.

WANTA, W.; Hu, Y. "Time-lag differences in the *agenda setting* process: an examination of five news media", *International Journal of Public Opinion Research*, v. 6, 1994, p. 225-240.

WARD, J.; WINSTANLEY, D. "Coming out at work: performativity and the recognition and renegotiation of identity", *The Sociological Review*, v. 53, n. 3, 2005, p. 447-475.

WARREN, C. N. *Generos periodisticos informativos*. Barcelona: A.T.E., 1975.

WATZLAWICK, P. *La réalité de la réalité*. Paris: Seuil, 1978.

WATZLAWICK, P.; BEAVIN, J. H.; JACKSON, D. *Une logique de la communication*. Paris: Seuil, 1972.

WEAVER, D. "Political issues and voter need for orientation". In: SHAW, D.; MCCOMBS, M. (orgs.). *The emergence of American political issues*. St. Paul: West, 1977.

WEBSTER, M.; WAKSHLAG, J. "Measuring exposure to television". In: ZILLMANN, D.; BRYANT, J.; HILLSDALE, P. (orgs.). *Selective exposure to communication*. Nova York: Lawrence Erlbaum, 1985.

______. "The impact of group viewing on patterns of television program choice", *Journal of Broadcasting*, n. 26, 1982, p. 445-455.

WEISS, H. J. "Public issues and argumentation structures: an approach to the study of the contents of media agenda setting", *Communication Yearbook*, n. 15, 1992, p. 374-396.

WESTERSTAHL, P. "Objective news reporting-general premises", *Communication Research*, v. 10, n. 3, 1983, p. 403-424.

WIENER, N. *The human use of human beings*. Nova York: Avon Books, 1969.

WILLNAT, L.; LEE, W.; DETENBER, B. H. "Individual-level predictors of public outspokenness: a test of the spiral of silence theory in Singapore", *International Journal of Public Opinion Research*, v. 14, n. 4, 2002.

WLEZIEN, C. "On the salience of political issues: The problem with 'most important problem'", *Electoral Studies*, v. 4, n. 4, 2005, p. 555-579.

WOLF, M. *La investigación de la comunicación de masas*. Barcelona: Paidós, 1987.

WOLFE, T. *El nuevo periodismo*. Barcelona: Anagrama, 1984.

WOLTON, Dominique. *Eloge du grand public*. Paris: Flammarion, 1990.

______. *Il faut sauver la communication*. Paris: Flammarion, 2005.

______. *Penser la communication*. Paris: Flammarion, 1997.

WOODROW, A. *Information-manipulation*. Paris: Felin, 1991.

WURMAN, R. S. *Information anxiety*, Nova York: Avon Books, 1989.

YRCE, J. *Pluralismo y objetividad en la información*. Bogotá: Arco, 1984.

XU HUANG, X.; VAN DE VLIERT, E.; VAN DER VEGA, G. "Breaking the silence culture: stimulation of participation and employee opinion withholding cross-nationally", *Management and Organization Review*, v. 1, n. 3, 2005, p. 459-482

ZHU, J. H. "Issue competition and attention distraction: a zero-sum theory of agenda setting", *Journalism Quaterly*, v. 69, 1992, p. 825-836.

ZUCKER, H. G. "The variable nature of news media influence", *Communication Yearbook*, n. 2, 1978, p. 225-240.

Grupo Summus
www.gruposummus.com.br
www.gruposummus.com.br
Acesse, conheça o nosso catálogo e cadastre-se para receber informações sobre os lançamentos.

www.gruposummus.com.br

IMPRESSO NA
sumago gráfica editorial ltda
rua itauna, 789 vila maria
02111-031 são paulo sp
tel e fax 11 2955 5636
sumago@sumago.com.br
GRÁFICA
sumago